# Podróże
## z Ryszardem Kapuścińskim

# Podróże
# z Ryszardem Kapuścińskim

## opowieści trzynastu tłumaczy

pod redakcją
Bożeny Dudko

Wydawnictwo Znak
Kraków 2007

Projekt okładki
Maria Gromek

Fotografia na frontyspisie
STUDIO MAGIC MEDIA

Opieka redakcyjna
Magdalena Sanetra

Adiustacja
Bożena Dudko

Korekta
Barbara Gąsiorowska
Anastazja Oleśkiewicz

Opracowanie typograficzne
Irena Jagocha

Łamanie
Ryszard Baster

ISBN 978-83-240-0794-3

 Zamówienia: Dział Handlowy, 30-105 Kraków, ul. Kościuszki 37
Bezpłatna infolinia: 0800-130-082
Zapraszamy do naszej księgarni internetowej: www.znak.com.pl

# Spis treści

# SPIS TREŚCI

Ryszard Kapuściński

# Tłumacz – postać XXI wieku

Kiedy otrzymałem propozycję przygotowania i wygłoszenia tego wykładu, ogarnęły mnie wątpliwości i obawy. Nie jestem bowiem zawodowym tłumaczem i nie mam w tej dziedzinie ani doświadczenia, ani dorobku. Nie jestem również badaczem ani teoretykiem literatury czy znawcą bogatej i złożonej sztuki przekładu. Jeżeli jednak ośmielam się wystąpić tu przed Państwem, to aby powiedzieć, że jesteśmy w tej chwili, w tej właśnie chwili, świadkami narodzin nowej roli i nowego miejsca tłumaczki i tłumacza w świecie, w kulturze i w literaturze współczesnej. Być może nie zawsze to jeszcze dostrzegamy i odczuwamy, ale moment jest istotny i zasługuje na uwagę.

Tradycyjnie miejsce tłumacza w hierarchii literackiej było odległe, a tłumacze często – nieznani, ich nazwiska pomijane lub ograniczone do inicjałów czy zastępowane pseudonimami. Poza wyjątkami niewiele albo nic nie wiemy o tych, którzy – tłumacząc – przechowali dla nas wielki dorobek literatury starożytnej, a później – średniowiecznej,

czy przyswoili nam bogate dziedzictwo literatur poza-
europejskich. Ba, pamiętamy przecież książki drukowane
w XIX, a nawet i XX wieku, w których nie można znaleźć
nazwiska tłumaczki czy tłumacza, a nie chodzi tu wcale
o literaturę bulwarową czy jarmarczną, lecz ważne pozy-
cje literackie czy naukowe.

Ten stan zaczął zmieniać się na lepsze w ostatnich dekadach minionego stulecia, a już w końcowych latach XX
wieku zaczyna ulegać radykalnej i pomyślnej zmianie w re-
zultacie kilku występujących jednocześnie czynników.

Po pierwsze – kończy się zimna wojna, która na pół wieku zamroziła sytuację na świecie, utrudniając albo nawet
uniemożliwiając stosunki między krajami i kulturami,
w tym – między językami. Otóż po jej zakończeniu świat
stał się bardziej otwarty, bardziej demokratyczny. Zwięk-
szyła się szansa wzajemnego zbliżenia i poznania, dialogu,
rozmowy, wymiany zdań i opinii. Wszyscy jednak szybko
zorientowali się, że ta szansa nie będzie wykorzystana bez
obecności i pośrednictwa kogoś, kto przetłumaczy słowa
i myśli jednego języka na drugi, inny, a więc – bez tłumaczy.
Obecność tłumacza, to jest kogoś, kto przełoży czy to rozmowę, czy też tekst, staje się warunkiem istnienia i współ-
życia wspólnoty ludzkiej – rodziny człowieczej.

Po drugie – otóż to wspomniane wyżej nowe otwarcie
świata pozwoliło lepiej zobaczyć i odczuć jego różnorodność
i złożoność, a zwłaszcza – jego wielokulturowość (a tym samym i wielojęzyczność). Oczywiście od dawna, od czasów
biblijnych, od czasów wieży Babel, wiedziano o tym i bory-
kano się z tym problemem, ale teraz, u schyłku XX wieku,
rodzi się świadomość powszechna, świadomość planetarna
tej wielokulturowości i wielojęzyczności rodzaju ludzkiego.

Dane są oszałamiające – na początku XX wieku mieliśmy ponad sześć tysięcy języków na świecie, ponad dwa tysiące w samej tylko Afryce, gdzie każde plemię, a często i pojedyncze wioski mówią odrębnym językiem. Dlaczego? Dlaczego jedna i ta sama rzecz, na przykład drzewo, ma dziesiątki, nawet setki różnych nazw – od wielu już lat zastanawiają się językoznawcy.

To zdumiewające pomieszanie języków nie jest jednak – według Biblii – symbolem bogactwa wyobraźni człowieka, lecz zesłaną na niego karą, rodzajem uwięzienia, które go izoluje i ogranicza. Ów stan oddzielenia i odosobnienia nie tylko przeżywają poszczególni ludzie, ale znajdują się w nim całe społeczności i narody mówiące różnymi językami. A ta niemożność, ten brak komunikacji, ma swoje skutki nie tylko natury lingwistycznej, ale i psychologicznej, a często i politycznej. Wystarczy, że ktoś nie zna mojego języka, a już uważam go za gorszego, niższego, godnego pogardy. Tak właśnie było w starożytnej Grecji. Dla ówczesnego Greka ktoś, kto nie mówił jego językiem, był *barbaros*, to znaczy kimś, kto wydawał niezrozumiały bełkot, bredził jak szaleniec. A szaleniec może być groźny, agresywny.

Oto jak nieznajomość języka może stać się źródłem lęku, strachu, wrogości, a w następstwie – wręcz wojny. Ileż zresztą było w historii konfliktów i wojen językowych, ileż tragedii, ofiar i zniszczeń! Ale i odwrotnie – znać język Innego to szansa, aby się z nim porozumieć, nawiązać rozmowę, dialog i współpracę.

We wszystkich wymienionych tu sytuacjach widzimy, jaką wagę i doniosłość ma komunikacja międzyjęzykowa i wynikająca stąd rola tłumacza, rola kulturowo i społecznie przekraczająca i przewyższająca samo proste wykonywanie zadań i obowiązków profesjonalisty.

A jednak mimo fundamentalnego znaczenia, jakie w komunikacji międzyludzkiej ma wzajemne rozumienie swoich języków, uderza, ile czasu, ile lat, ile – nieraz – wieków upływało między powstaniem oryginału jakiegoś dzieła a jego przekładem, choć mogło tu chodzić o utwory sąsiadujących ze sobą ludów i kultur. Tak było na przykład z Koranem – świętą księgą muzułmanów, z którymi Europa miała styczność już od VII wieku. Ale dopiero w tysiąc lat później ukazują się pierwsze europejskie (łaciński i angielski) przekłady Koranu. A więc przez całe tysiąclecie Europa graniczy i współistnieje z cywilizacją, nie znając podstawowego klucza do jej zrozumienia – jakim jest właśnie Koran – i nawet nie czyniąc większych wysiłków, aby go posiąść. Jakże to się w naszych czasach zmieniło, jakże taka przepastna zwłoka wydaje się niemożliwa!

A teraz, współcześnie, dzisiaj, temu otwarciu świata, większemu udostępnieniu świata, oraz owej budzącej się powszechnie świadomości jego wielokulturowości, a tym samym i jego wielojęzyczności, towarzyszy wielka rewolucja komunikacyjna, przewrót elektroniczny stwarzający szansę szybkiego i bardziej powszechnego zbliżenia, kontaktu międzyludzkiego. I tu także, jak i w poprzednich wypadkach, na plan pierwszy wysuwa się postać tłumacza, do którego – do której – zwracać się będą wszyscy, bo – to oczywista – bez nich jakikolwiek dialog, poznanie i porozumienie są niemożliwe.

Szczególna w tym wszystkim jest rola tłumacza tekstów, tłumacza literatury, jako że nasza cywilizacja, mimo wielkiego znaczenia obrazu i dźwięku, jest cywilizacją tekstu, słowa pisanego i utrwalonego drukiem.

Jest truizmem, że planeta, na której żyjemy, znajduje się w procesie przyspieszonej i głębokiej przemiany, a temu prawu przyspieszenia ulega także świat języka. Bardzo dużo języków, setki, nawet tysiące, nigdy i nigdzie niezapisanych, zniknęło i nadal znika, gdyż ten fenomen zagłady trwa w dalszym ciągu, jako że wymierają nosiciele tych języków – plemiona i klany. Dotyczy to głównie strefy klimatów gorących, tropikalnych. W klimatach umiarkowanych i chłodnych języki wykazują większą trwałość. Dawniej tymi, którzy zapisywali nieznane w Europie języki, byli misjonarze, ale dziś ich liczba jest coraz mniejsza, tak że również obecnie małe języki znikają bezpowrotnie w dżunglach Konga i lasach Amazonii.

Tak jak w wielu innych dziedzinach, również i przez świat języków przepływają dwa przeciwstawne nurty. Z jednej strony jest to nurt unifikacji, uniwersalizacji, zmierzający do tego, aby coraz więcej ludzi mówiło coraz mniejszą liczbą języków. W tym nurcie najbardziej dziś dynamiczne są angielski, chiński i hiszpański. Widać tu – notabene – najlepiej, jak siła gospodarcza wpływa na pozycję i znaczenie języka.

Nurt przeciwny zmierza do utrzymania, umocnienia i rozwoju języków poszczególnych narodowości, etni i regionów. Tendencja ta przejawia niekiedy imponującą żywotność. We Francji sześć języków regionalnych walczy o równouprawnienie, podobnie jak baskijski, kataloński i galicyjski w Hiszpanii, quechua i aymara w Peru i Boliwii, berberyjski w krajach Maghrebu, hausa w Nigerii – przykładów tej wielkiej inwazji ambitnych mniej znanych języków są dziesiątki, jeśli nie setki. Społeczności mówiące nimi przykładają wielką wagę do ich awansu i żywotności, gotowe ponosić z tego tytułu największe koszty materialne.

Niekiedy dochodzi do przedziwnych sytuacji. Gdy w 1990 roku Armenia przestała być częścią ZSRR i ogłosiła niepodległość, w szkołach postanowiono znieść rosyjski i uczyć tylko po ormiańsku, choć to język, w którym dzieci nie mogły kształcić się dalej, bo nie istniał on w gimnazjach ani na uniwersytecie. A jednak społeczeństwo musiało przejść przez ten okres euforii językowej, nim opadły emocje i przyjęto bardziej realistyczne rozwiązania.

Język jest rzeczą tak ważną i cenną, że w skrajnych wypadkach ludzie w jego obronie oddają życie – nawet dziś można się o tym przekonać w Indiach, Pakistanie, zresztą w wielu innych krajach. Sam, w czasie swoich podróży, przekonałem się wielokrotnie, jak miejscowi ludzie cenią sobie to, że przybysz stara się nauczyć bodaj paru słów w ich rodzimym języku. Otwierają się wówczas wszystkie drzwi, a gościa podejmują, czym chata bogata. Starając się bowiem powiedzieć coś w miejscowym języku, okazujemy gospodarzom szacunek, uznajemy ich godność. Język to największy skarb kultury, a jednocześnie najbardziej czuły i rozpoznawalny znak tożsamości.

Wspominam o tym, aby podkreślić, z jak bardzo wrażliwą i delikatną materią ma do czynienia tłumacz, jak musi mieć wyostrzony wzrok i słuch językowy, językowy gust i intuicję, językową pamięć. Są to cechy najniezbędniejsze, tym bardziej że języki, z którymi tłumacz ma do czynienia, ulegają ciągłej przemianie, stałym przekształceniom, są w nieustannym ruchu, wzbogacają się, ewoluują, poszczególne słowa nabierają nowych odcieni i znaczeń. Jakiego potrzeba tu doświadczenia, czujności i smaku, aby wychwycić i odczytać sygnały tych zmian napływające do nas z czytanego tekstu, z jego ukrytej warstwy, z jego wnętrza!

Ale zadania tłumacza nie ograniczają się dziś do przełożenia tekstu na inny tekst, z jednego języka na drugi. Jako autor doznawałem zawsze i nadal odczuwam ich wielką życzliwość i pomoc na wielu polach i w różnych formach. Bo tłumacz to także ktoś jak agent literacki czy wręcz ambasador danego autora, a często i entuzjasta jego twórczości, ktoś, kto proponuje i poleca ją wydawcom, zwraca na nią uwagę miejscowych mediów, pisze recenzje i rekomendacje. To – szerzej – znawca i krytyk literatury, do której należą „jego" autorzy. Tak, posiadanie stałego i znajomego tłumacza w danym kraju, daje piszącemu wielkie poczucie bezpieczeństwa i spokoju. Toteż bardzo opłakiwaliśmy śmierć naszych niedawno zmarłych przyjaciół i tłumaczy z Holandii i z Rosji – Gerarda Rascha i Siergieja Łarina.

Moja tłumaczka, mój tłumacz, moja autorka, mój autor – niezmiernie cenne są te osobiste znajomości i przyjaźnie, jakie z czasem mogą się nawiązać między obu stronami – wiem o tym z własnego, bardzo dla mnie ważnego doświadczenia. Tłumaczka, tłumacz to równocześnie najważniejsi czytelnicy i redaktorzy, ileż to razy otrzymywałem od nich listy, w których zwracali mi uwagę na nieścisłości i popełnione błędy w tekstach, o czym zresztą wspominam tu z wdzięcznością.

Ta „ambasadorska" rola tłumaczy ma szczególne znaczenie wówczas, gdy chodzi o literatury tworzone w językach nienależących do grona najpotężniejszych, najlepiej znanych na świecie. Wytrwałość i siła perswazji tłumacza może czasem w takich wypadkach zdecydować, czy dany autor pojawia się na jakimś rynku, czy nie. A wejście na nowy rynek i zdobycie na nim trwałej pozycji nie jest dziś łatwe, gdyż poza tradycyjną konkurencją w różnych krajach panuje tendencja raczej do zamykania niż otwierania podwojów dla książki zagranicznej. W tym miesiącu [w maju 2005] uczestniczyłem w Nowym Jorku w zorganizowanym przez amerykański Pen Club Światowym Forum Pisarzy. Forum to zwołano z inicjatywy kolegów z Pen Clubu poruszonych spadkiem w Stanach Zjednoczonych czytelnictwa książek autorów nieamerykańskich. Aktualnie z ogółu sprzedanych tam książek tylko dwa procent jest autorstwa nieamerykańskiego (podobnie zresztą zamkniętym dla książki europejskiej jest inny ogromny rynek – chiński). A więc i takie, jakże niepokojące, zjawiska również występują w naszym zróżnicowanym i ciągle zmieniającym się świecie książki.

W języku polskim czasownik „tłumaczyć" ma dwa różne znaczenia, których jednak semantyczna zbieżność jest niezmiernie wymowna, a dziś w wielokulturowym świecie – szczególnie charakterystyczna i znacząca.

Więc – tłumaczyć tekst, tłumaczyć literaturę, książkę – w tym znaczeniu tego, który tłumaczy, słownik Lindego nazywa „przekładaczem". Tłumaczyć, czyli przekładać z jednego języka na inny – relacja jest tu ścisła, a granica dowolności ograniczona i od wieków sporna, dyskutowana: co ma przewagę, pierwszeństwo – litera czy duch, jakie ustalić proporcje i zależności, co uznać za złoty środek, za najlepsze rozwiązanie? Wszyscy Państwo borykają się z tym problemem od lat, od pierwszego tłumaczonego zdania.

Natomiast w tym drugim, szerszym znaczeniu, według Karłowicza – „tłumaczyć" znaczy „objaśniać", „interpretować", nawet – „zdawać sprawę". I to jest właśnie szczególnie dziś odpowiedzialna rola tłumacza w naszym nowym wielokulturowym świecie – że przekładając, uświadamia nam istnienie innych literatur i kultur, istnienie Innego, jego odrębności i niepowtarzalności, tego, że tworzymy wielką rodzinę człowieczą, której warunkiem przetrwania jest bliższe poznanie się i wzajemna akceptacja, współżycie.

W tym sensie, przekładając tekst – otwieramy Innym nowy świat, tłumaczymy go, a tłumacząc – przybliżamy, pozwalamy w nim przebywać, uczynić go cząstką naszego osobistego doświadczenia. Jakże więc dzięki wysiłkowi tłumacza rozszerzają się nasze horyzonty myślowe, pogłębia nasze rozumienie, nasza wiedza, ożywa wrażliwość.

Dzisiaj, w XXI wieku, to szczególnie ważne, ponieważ nasz świat, tak burzliwie się rozwijając, różnicując i zmieniając, potrzebuje nieustannego tłumaczenia i objaśniania, w czym pomaga również przekład literacki – a więc dzieło wszystkich tu Państwa obecnych. Jest to większy wymiar i dodatkowy sens pracy współczesnego tłumacza. To dzięki niej autorzy mogą docierać wszędzie, a czytelnicy stawać się odkrywcami ludów i ziem jeszcze wczoraj im niedostępnych. Zresztą wiemy, w jakim stopniu tłumacz jest współautorem książki, w jakim stopniu na danym terytorium książka ta może tylko dzięki niemu zaistnieć. Stąd nieustanna dla nich wdzięczność wszystkich czytelników i autorów, stąd gorące dzięki wszystkim Państwu!

*Tekst wygłoszony w Krakowie 12 maja 2005 roku*
*podczas I Światowego Kongresu Tłumaczy Literatury Polskiej*
*zorganizowanego przez Instytut Książki.*

# Koperty, zdarzenia i 77 książek

Zdarzają się spotkania, przypadkowe i szczęśliwe, które pozostawiają niezatarty ślad w życiu człowieka. Ale gdy mowa o ludziach dużego formatu, o ich zwykłej ludzkiej dobroci, chcąc nie chcąc, muszę opowiedzieć o mojej znajomości z Nim i o przypadkach, jakie miały miejsce. Może ta opowieść zainteresuje Czytelnika, a nawet skłoni go do szukania jakichś porównań.

Do roku 1996 Jego książki jeszcze nie były tłumaczone na język mojego kraju i może na dwa albo trzy inne języki spośród języków europejskich. Halina Bortnowska z Komitetu Helsińskiego, która prowadzi warsztaty młodych dziennikarzy, zna Ryszarda Kapuścińskiego i umówiła mnie z Nim na spotkanie.

Poprosił, bym opowiedział o życiu w moim kraju. Nie udawał. Słuchał uważnie. Zwyczajnie i skromnie przyznał, że niewiele wie o Albanii i że ceni naszego pisarza Ismaila Kadare. Podarował mi wszystkie swoje książki, sugerując, że może najodpowiedniejsze dla albańskiego czytelnika byłoby *Imperium*. Przeczytałem wszystkie od deski do deski, największe wrażenie zrobił na mnie *Cesarz*. Dzwonię i proponuję właśnie tę książkę na początek. Autor nie ma nic przeciwko temu. Jeszcze w Polsce, gdzie pracowałem jako lektor języka albańskiego na Uniwersytecie Mikołaja Kopernika, kończę przekład *Cesarza* i proszę o zgodę na kolejny – *Imperium*, który skończę już w Tiranie.

Pod koniec mojego dwuletniego pobytu w Polsce dał mi kopertę. Były w niej pieniądze, które pozwoliły mnie i mojej rodzinie trochę bardziej cieszyć się w Warszawie ostatnimi dniami przed wyjazdem.

Çelik Petriti zaczął pracować jako dziennikarz w Radiu Tirana trzy lata po zmianie systemu, w 1994 roku. Poprzednio był nauczycielem na wsi, w okolicach Librazhdu, w środkowej Albanii. Od czasu do czasu pisał wiersze, uprawiał także krytykę literacką w czasopiśmie „Drita". Z jednakową pasją rozprawiał o literaturze i o polityce. Czas w jego towarzystwie upływał przyjemnie, tym bardziej że umiał pić z umiarem. Miał jednak spory kompleks: nie znał żadnego języka obcego. Jego pokolenie ratowało się językiem rosyjskim ze szkoły, którego znajomość w istocie sprowadzała się do kilku grzecznościowych zwrotów i fragmentów wierszy, wyuczonych przed laty na pamięć. Do 1998 Çelik nigdy nie był za granicą. W kwietniu tamtego roku zrobił wszystko, by zdobyć miejsce w samolocie lecącym do Armenii z albańską reprezentacją piłkarską na mecz eliminacyjny Euro 2000. Ze skromnych zarobków zdołał odłożyć pieniądze na bilet i 30 dolarów kieszonkowego. Gdy już wszystko załatwił, opowiedział mi, jako zagorzałemu kibicowi i piłkarzowi, o planowanej podróży. Przyznał także, że odświeżył swój rosyjski i że nie może znaleźć dodatkowych informacji o Erewanie. Obiecałem, że mu pomogę. Skserowałem rozdział *Imperium* o Armenii. Kiedy przyjechał do Erewanu, oprócz 30 dolarów miał przy sobie litr rakii, a futbol był ostatnią rzeczą, która go interesowała. W holu hotelu, jak mi później opowiedział, pierwszemu miejscowemu dziennikarzowi, którego spotkał, zaczął recytować po rosyjsku „Armenię" Kapuścińskiego. Tamten uradowany zaoferował mu gościnę. Mieszkał pod jego dachem dwa dni. Po powrocie z Erewanu Çelik Petriti opisał swój pierwszy wyjazd za granicę w wieku 53 lat w reportażu z podtytułem *Jestem wdzięczny Ryszardowi Kapuścińskiemu*.

Do 1997 roku tłumaczyłem drobne kawałki, bardziej na potrzeby codziennej prasy. Przetłumaczyłem także *Latarnika* Henryka Sienkiewicza na kolumnę poświęconą noblistom. Chcę przez to powiedzieć, że do tego czasu nie miałem pojęcia o relacjach między autorem, wydawcą a tłumaczem. Ryszard Kapuściński zapowiedział, że przed wyjazdem z Polski da mi prawa autorskie. W maju 1997 roku znowu Go odwiedziłem. Od razu zapytał o moją rodzinę, o bliskich w Albanii. Pamiętajmy, że był to straszny rok dla Albańczyków – upadek oszukańczych tzw. piramid finansowych. „Ten młody premier robi dobre wrażenie, czy to prawda?" – zapytał o Bashkima Fino, który rządził niecałe cztery miesiące.

Zaprosił mnie do swojej pracowni na poddaszu. Biblioteka zajmowała wszystkie ściany – od podłogi do sufitu. Większej nie widziałem nigdy w życiu. Przy pożegnaniu dał mi kopertę. Druga koperta skrywała właśnie to: *This is to certify that Mr Astrit Beqiraj (Rruga „Nasi Pavllo", pallati 15/1, apartamenti 10, Tiranë) is my sole agent in Albania authorized by me to represent all my copyrights concerning all my writing translated to Albanian language. He is entitled to take all financial, publishing and other decisions on my behalf.*

Ilir Kadia, korespondent BBC w Tiranie, wiele ostatnio rozprawia o kontrolowaniu wagi ciała i o diecie. Choruje na cukrzycę. Nasz wspólny przyjaciel Fatos Ahmataj, również dziennikarz BBC w Tiranie, cierpi na to samo, ale to go nie powstrzymuje przed jedzeniem. Ilekroć się spotykamy, Kadia rzuca podejrzenie, że ja także mogę mieć cukrzycę, bo mam sporą nadwagę. Z powodu tych podejrzeń już trzykrotnie robiłem niezbędne badania i trzykrotnie okazywało się, że wszystko, na szczęście, jest w porządku. Pewnego dnia, nic mi wcześniej nie mówiąc, powiedział do Fatosa, że znalazł panaceum na cukrzycę. To pewien rodzaj koniaku, który wytwarzają w Gruzji. *Jesienią, po winobraniu, robi się winogronowy spirytus...* (*Në vjeshtë, pas vjeljes së rrushit, bëhet mushti...*) i zaczął podawać, niezbyt dokładnie, przepis na gruziński koniak z *Imperium*.

To prawda, miałem kłopoty z wydaniem *Cesarza*. Dałem maszynopis szefowi pewnej fundacji, która publikowała sporo książek. Oczytany szef znał Kapuścińskiego z przekładów na angielski. Zabrał albańskiego *Cesarza* ze sobą na urlop. Po powrocie powiedział mi, że po raz pierwszy przeczytał od początku do końca tekst przeznaczony do druku. Także do przekładu nie miał zastrzeżeń. Natychmiast zlecił sporządzenie umowy. „Kiedy może wyjść książka?" – zapytałem niecierpliwie. „Za trzy, cztery miesiące" – padła odpowiedź. Uszczęśliwiony, powiadomiłem Autora. Po upływie sześciu miesięcy poszedłem znowu do fundacji, powiedziano mi, że trzeba poczekać jeszcze trzy miesiące. O opóźnieniu powiadomiłem Autora. I tak, z kłamliwymi obietnicami, upłynęły ładne dwa lata. Aż do chwili, gdy dziekan Wydziału Języków Obcych na Uniwersytecie w Tiranie Nonda Varfi zaproponował mi wydanie czegoś z polskiej literatury. Opowiedziałem mu o swoich perypetiach z fundacją. Postanowiliśmy, że wydamy na własny koszt Cesarza, dzieląc się wydatkami po połowie. Książka ukazała się bardzo szybko. Trochę później do Autora dotarły słuchy o moim „poświęceniu".

Sześć lat po opublikowaniu Cesarza Ryszard Kapuściński szuka mnie wzrokiem w holu krakowskiego hotelu „Novotel" wśród uczestników I Światowego Kongresu Tłumaczy Literatury Polskiej. Najpierw przywitał się z dwiema kobietami, później z wysokim Brazylijczykiem. Zobaczył mnie, zawołał po imieniu. Przywitaliśmy się serdecznie. W pewnej chwili wyciągnął z kieszeni kopertę, mówiąc: „za to, co zrobiłeś dla książki". Na próżno szarpałem się, kilkakrotnie próbując Mu ją oddać. W kopercie były pieniądze (znacznie więcej niż wydałem na Cesarza). Od razu postanowiłem, że połowę ofiaruję koledze z mojego radia Jaho Margjekajowi, który przestał pisać, zniechęcony działaniami wydawców.

Syn dyrektora Programu III Radia Tirana Altin Ibro w 2002 roku, po skończeniu drugiego roku studiów prawniczych w Grazu, spędzał wakacje w domu. Dzień po przyjeździe spotkał się ze swoim najlepszym przyjacielem. Usłyszał od niego, że właśnie czyta *Imperium* i jest nim poruszony. Jak to bywa wśród miłośników książek, padło także nazwisko tłumacza. To nazwisko obiło się o uszy studentowi, ale do końca nie był tego pewien. Wieczorem dowiedział się od ojca, że tłumacz tej książki pracuje w radiu.

Następnego dnia przyszedł do redakcji z niemiecką wersją *Cesarza* pod pachą. Dostał więc ode mnie *Cesarza* i *Imperium* po albańsku.

Dwa lata później zaczepił mnie na ulicy: „Gdzie jest trzecia książka Kapuścińskiego?!".

Skontaktowanie się ze mną nie jest łatwe. Należę (tak jak Ryszard Kapuściński) do niewielu dziennikarzy, którzy nie korzystają z Internetu. Co zrobić, wolę czytać książki, niż odpowiadać na setki e-maili czy grzebać godzinami w sieci.

Z telefonem komórkowym też nie jest najlepiej. Obecnie mam siódmy aparat i... siódmy numer. Wszystkie poprzednie zgubiłem. Szósty na meczu piłkarskim Albanii z Rosją, trzy lata temu, gdy nasza drużyna wygrała 3:1. Całe szczęście, że od sześciu lat mam ten sam telefon stacjonarny. Tego, że tak jest, doświadczyło na własnej skórze wiele osób, w tym i redaktorka tej książki.

A Elmira Dylgjeri z wydawnictwa Logoreci, które publikowało *Imperium*, szukała mnie na przykład dwa tygodnie. W końcu udało nam się spotkać. O co jej chodziło? Lektorzy literatury zagranicznej z Uniwersytetu w Tiranie Shkoder i Elbasan, potrzebowali więcej egzemplarzy *Imperium*, a w księgarniach już ich nie było. Do akcji włączył się znany filmowiec Arben Basha, który naprawdę kocha książki. Jest właścicielem księgarni, więc dogadaliśmy się bez problemu, że ja, zamiast pieniędzy, dostanę książki. Teraz, gdy kończę ten tekst, wyliczyłem, że za drugie wydanie *Imperium* mam dodatkowo w swojej bibliotece siedemdziesiąt siedem książek.

*przełożyła Dorota Horodyska*

**Astrit Beqiraj**, rocznik 1957. Studiował literaturę albańską na Uniwersytecie w Tiranie, gdzie mieszka. Jest dziennikarzem odpowiedzialnym za sprawy bałkańskie w Radiu Tirana. Przetłumaczył na albański *Cesarza* (1999 – nakład 500 egzemplarzy), *Imperium* (dwa wydania: 2000, 2005 – łącznie tysiąc egzemplarzy), oraz *Jadąc do Babadag* Andrzeja Stasiuka.

KATARZYNA MROCZKOWSKA-BRAND

# JAK WPADŁAM NA POMYSŁ,
## ŻE WARTO PRZETŁUMACZYĆ CESARZA

Był marzec 1979 roku, samolot leciał nad Atlantykiem i nad chmurami na razie dość równo i spokojnie, dopiero przed śródlądowaniem w Gander w kanadyjskiej Nowej Funlandii miały dziać się dantejskie sceny: trzykrotne próby lądowania – pilot zmieniał zdanie jakieś pół metra nad ziemią, podrywając samolot znowu w górę – a także okropne turbulencje, które prawie uniemożliwiły zetknięcie kół samolotu z miejscem lądowania, pasem startowym pokrytym grubą warstwą śniegu. Póki co można było cieszyć się lekturą nowej książki. Ktoś z przyjaciół, tuż przed odlotem, wręczył mi *Cesarza* Ryszarda Kapuścińskiego, mówiąc, że teraz w Warszawie to się czyta. Dodał, że w Polsce była to wtedy lektura obowiązkowa, interpretowana jako tekst z drugim dnem. Niby to o dworze cesarza Hajle Sellasje, a naprawdę o czerwonym dworze KC (Komitetu Centralnego PZPR) lub, schodząc w dół, KW (Komitetu Wojewódzkiego) czy KP (Komitetu Powiatowego). Niby to o mechanizmach służalstwa i lizusostwa w komnatach imperialnych Etiopii, a naprawdę o tychże mechanizmach w PRL-owskich gabinetach i poczekalniach, korytarzach władzy i o tych wokół władzy skupionych.

Zaczęłam czytać i od książki nie mogłam się oderwać, zachwycona zarówno ogromnie ciekawą historią, jak i bardzo oryginalną i nowatorską formą. Zauważyłam, i owszem, możliwości interpretowania tego tekstu jako obrazu ówczesnej rzeczywistości w Polsce i ogólnie za „żelazną kurtyną". Równocześnie jednak taka interpretacja, takie rozumienie tekstu, wydawało mi się tylko jedną z możliwych, a przede wszystkim chyba nie tą najważniejszą. Moim najsilniejszym wrażeniem z lektury *Cesarza* wówczas, i tak jest do dziś, było obcowanie z tekstem uniwersalnym, ponadczasowym i wpisującym się w literaturę światową i reportaż na najwyższym poziomie. Równolegle z tym wrażeniem pojawiło się coś w rodzaju podniecenia z niespodziewanego odkrycia: odkrycia bardzo rzadkiego skarbu, w którego istnienie zaczynało się już wątpić, a mianowicie utworu z literatury polskiej, który byłby przetłumaczalny i miał w sobie potencjał nośności ponadnarodowej. Przetłumaczalny w podwójnym sensie tego słowa: językowym i kulturowym, a więc tekstu, który nie byłby, jak niestety tyle innych z naszej literatury, *lost in translation*, najczęściej dlatego, że znów perspektywa „słoń a sprawa polska" zdominowałaby wszystkie inne.

A akurat ten problem, czy ten kompleks, był przeze mnie wówczas szczególnie intensywnie i przykro odczuwany. Przebywałam wtedy na studiach doktoranckich w Stanach na Uniwersytecie w Rochester N.Y., gdzie przygotowywałam pracę z zakresu literatury porównawczej.

Moi koledzy literaturoznawcy często prosili mnie o polecenie dostępnych w przekładzie angielskim pozycji z literatury polskiej, które byłyby ciekawe stylistycznie, psychologicznie, filozoficznie *etc*. Stawałam wtedy przed problemem podwójnej nieprzetłumaczalności. Utwory, które miałabym ochotę zaproponować, były najczęściej nieprzetłumaczalne ze względów albo językowych, albo kulturowych, a najczęściej i jednych, i drugich.

Miałam też za sobą krótkie doświadczenie prowadzenia zajęć z literatury środkowoeuropejskiej, w tym polskiej, w szkole letniej tamtejszego uniwersytetu, kiedy omawiając ze studentami takie teksty jak *Złoty lis* Jerzego Andrzejewskiego czy *Sennik współczesny* Tadeusza Konwickiego, zauważyłam, że mimo wielu wyjaśnień dotyczących kontekstu historyczno-politycznego interpretacja polskich utworów była dla zagranicznych, a szczególnie amerykańskich, odbiorców często tak trudna, że prawie niemożliwa. Nawiasem mówiąc, niejako potwierdzeniem tego było, że jedynym tekstem z wybranych przykładów polskiej literatury współczesnej, który okazał się dla studentów klarowny i zrozumiały, było opowiadanie Jarosława Iwaszkiewicza *Tatarak*, skądinąd świetne, całkowicie wolne od jakiegokolwiek tła historycznego, politycznego czy narodowego.

Byłam więc w owym czasie szczególnie wyczulona na problem istnienia czy nieistnienia literatury uniwersalnej, takiej z wystarczająco silnym „twardym jądrem" cech ponadnarodowych, i lektura *Cesarza* wydała mi się objawieniem. Stwierdziłam, że ta książka spadła mi z nieba, a może dokładniej, w niebie się urzeczywistniła, skoro lecąc przez niebo, ją przeczytałam, odkryłam i mogła stać się tym, czego poszukiwałam: napisaną przez polskiego autora książką o przesłaniu uniwersalnym, ogromnie ciekawą, trzymającą w napięciu, a przy tym eksperymentującą z różnymi formami i gatunkami literackimi, czyli świeżą i intrygująca także poprzez oryginalność sposobu przekazu. Kapuściński stworzył coś z pogranicza literatury faktu i literatury pięknej. *Cesarz* miał w sobie reportaż, ale także literacko stylizowany wywiad ze stugłowym smokiem ulepionym z dworaków umożliwiających i utrwalających struktury wszelkiej władzy despotycznej, wielogłosową spowiedź i równocześnie hagiograficzny portret potomka króla Salomona. Oczywiście hagiograficzny tylko dla tych, którzy albo już mieli tak wyprany mózg, że tak widzieli Hajle Sellasje, albo potrzebowali tak mówić, żeby czuć się ważnymi elementami współtworzącymi imperium trwające parę tysięcy lat, albo z przyzwyczajenia używali języka prawie z żywotów świętych, co też dawało im poczucie wyższej wartości, albo także wyrażali w ten sposób swoje przywiązanie do swojego króla, czasami wszystkiego po trochu, a wszystkie te barwy językowe Autor subtelnie cieniował, sam trzymając się z daleka od jakiegokolwiek tonu świętobliwego.

Ta narracja wielogłosowa układała się w mozaikę przedstawiającą upadek ostatniego cesarza Etiopii, ale także pokazywała istotę tego, co umożliwia wszelkie rządy autorytarne: system uzależniający od siebie nawzajem ludzi tchórzliwych i ludzi ambitnych, czasem zresztą obie te cechy współistniały w niektórych postaciach równocześnie. Myślę, że Szekspir pochwaliłby autora *Cesarza* właśnie za umiejętność dostrzegania i odmalowywania konsekwencji społecznych pewnych cech psychicznych, a w tym przypadku struktury tkanki społecznej, która staje się podłożem szczególnie podatnym na rozwój i rozkwit autorytarnych rządów opartych na strachu, donosach, chęci dominacji, a także teatralizacji języka i zachowań dla potrzeb stworzenia odpowiedniego wizerunku „dobrego" władcy i „dobrych" poddanych. W tekście Kapuścińskiego odnajdujemy różne formy maskowania prawdziwych intencji, także i takie, kiedy maska przykleja się do twarzy, zmieniając tożsamość danej osoby tak, że ona sama już uważa się za kogoś innego. Chyba nie bez powodu miałam niedawno na seminarium licencjackim w Katedrze Komparatystyki Literackiej parę prac porównujących sposób przedstawiania mechanizmów władzy w *Cesarzu* Ryszarda Kapuścińskiego i w *Ryszardzie II* lub *Henryku IV* Szekspira.

Uniwersalność i równocześnie oryginalność przesłania *Cesarza* polega między innymi na tym, że akcent był położony nie tyle na samego despotę, ile na typ tkanki społecznej, dzięki której tenże despota może długo, najczęściej za długo, funkcjonować. Jeśli powstaną warunki uwięzienia ludzi w lęku, w systemie donosów, podsłuchów i promowania służalczości, lizusostwa i zakłamania, to władca manipulujący taką „ludzką maszynerią" będzie miał prawie nieograniczone możliwości, a to, czy władca jest cesarzem, pierwszym sekretarzem czy dyrektorem korporacji, nie ma już tak dużego znaczenia. Znakomity efekt daje też zderzenie rzeczowego języka reportażu ze stylizowanym, momentami prawie barokowym, nieco archaicznym w doborze epitetów językiem dworaków. Takie właśnie zestawienie może między innymi uświadomić możliwość istnienia w dalszym ciągu we współczesnym świecie systemu, wydawałoby się, anachronicznego, ale ponadczasowego, jak ponadczasowe są niestety ludzkie ambicje, lęk, słabość czy wręcz podłość.

Chyba miałam wtedy nie najgorszego nosa, bo uniwersalność przesłania *Cesarza* potwierdziła się potem na wiele sposobów: przede wszystkim międzynarodowym sukcesem samej książki, a także powodzeniem opartego na niej londyńskiego spektaklu w The Royal Court Theatre. Warto tu też przytoczyć słowa samego Autora z programu do warszawskiego przedstawienia *Cesarza* (Royal Court Theatre wystąpił gościnnie w Warszawie w listopadzie 1987): *Zestaw „Cesarza": teatr – londyński, reżyser i adaptor – Anglicy, aktorzy – z Afryki, Bliskiego Wschodu i Karaibów, autor – Polak, rzecz dzieje się na dworze cesarza Etiopii, czyli może dziać się wszędzie –* słowa, które potwierdzają tę właśnie uniwersalność.

Wybiegam jednak do przodu, a wróćmy jeszcze do samolotu, w którym lecę olśniona *Cesarzem* i przekonana, że wreszcie znalazłam to, czego szukałam, i że taką perłę mądrości psychologiczno-socjologicznej, przykład znakomitego warsztatu reportera i oryginalnej urody literackiej trzeba udostępnić szerokiemu światu, a więc przetłumaczyć.

Przetłumaczyć..., tylko jak to zrobić, żeby było znakomicie i bez dużej utraty, bo że jakaś utrata musi być zawsze, wie każdy uczciwy i szczery wobec siebie tłumacz i filolog; *traduttore traditore* (tłumacz to zdrajca) jest jednym ze sposobów wyrażenia tej prawdy. Wiedziałam, że sama się nie odważę, a przede wszystkim, że nie powinnam się odważyć. Na swój rodzimy język to co innego, ale na cudzy, choćby od dzieciństwa znany i obłaskawiony, nie da rady. Nawet biegła znajomość, spore oczytanie i wykształcenie filologiczne nie zastąpią takiego stopnia życia i zrośnięcia się z językiem, takiego wyczucia, jakie dać może tylko urodzenie się i wzrastanie w kulturze tego języka potrzebne do przekładu na ten język, a co dopiero przekładu perfekcyjnego, o jakim marzyłam.

Pomyślałam więc o próbie połączenia sił i zrobienia tłumaczenia razem z kimś, kto przekładałby na angielski jako na swój język rodzimy. Konkretnie, pomyślałam natychmiast o moim mężu, który łączył w sobie szereg bardzo potrzebnych do zrealizowania tego przedsięwzięcia cech: anglista i *native speaker*, błyskotliwa inteligencja, ogromna kultura literacka i wyczucie subtelnych różnic barw i tonów językowych, talent do dobrego pisania, uczył zresztą studentów – zarówno *native*, jak i obcokrajowców – jak dobrze pisać, i to na poziomie dość wyrafinowanym. Wydawało mi się, że warto przeprowadzić następujący eksperyment: najpierw ja tłumaczyłabym z polskiego na poprawny angielski, potem Bill poddawałby tę wersję ostrej obróbce językowo-stylistycznej, tak żeby zabrzmiało to swojsko dla anglojęzycznego ucha, a na koniec jego wersja wracałaby do mnie, żeby sprawdzić, czy gdzieś za daleko nie odeszliśmy od oryginału.

Tak zrobiliśmy i chyba wyszło, skoro recenzent w tygodniku „Time" napisał: *translated as if there were no language barrier*, a John Updike w magazynie „New Yorker" podzielił się z czytelnikami swoją opinią, że nie czytał jeszcze tekstu w przekładzie, który byłby napisany takim *supple English*. Ten *supple English* to na pewno zasługa Billa, to jego pazur literacki sprawił, że to tak świetnie brzmiało i czytało się po angielsku. Natomiast ja umożliwiałam mu doprowadzenie angielszczyzny do perfekcji i czuwałam nad wiernością w stosunku do oryginału. Jednym słowem, był to unikalny tandem. Może podobny pomysł mieli Bogdana Carpenter i John Carpenter, kiedy przekładali wiersze Herberta na angielski, ale oczywiście poezja i jej tłumaczenie to zupełnie inna liga.

Nasz przekład *Cesarza* był więc owocem wspólnej pracy i trzeba było na tym drugim i trzecim etapie wzajemnie uzupełniać swoją wiedzę, dyskutować, smakować poszczególne wersje, żeby wybrać najlepszą. Na taki luksus, czyli omawianie i wręcz obgadywanie niektórych etapów wspólnego tłumaczenia, mogli pozwolić sobie tylko zgrani, lubiący się partnerzy, oboje na studiach podyplomowych może i nierozpieszczani przez życie, ale zabezpieczeni w sposób podstawowy przez stypendia na tyle, żeby sporą część czasu poświęcić na cyzelowanie językowe. Takie spacery filologiczne po moście tłumaczenia musiały zawierać w sobie czas na wycieczki historyczno-polityczno- -kulturowe do obu obszarów językowych, z czasem na degustację.

Szczególnie ważne było to, na przykład, przy dopasowywaniu odpowiedniej barwy językowej wersji angielskiej określeń używanych przez dworaków, kiedy mówili o cesarzu (a więc np. Jego Dostojność, Jego Dobrotliwość). Na wiernopoddańczy, służalczy, lizusowski czy po prostu momentami bardzo tradycyjny ton w oryginale musieliśmy znaleźć ekwiwalent angielski. Pamietam, że to był jeden z elementów tłumaczenia, z którym męczyliśmy się chyba bardziej niż z czymkolwiek innym. Końcowy efekt okazał się jednak bardzo dobry (ośmielam się tak mówić po dwudziestu latach od pierwszego sukcesu angielskiej wersji *Cesarza*, gdyż mądrzejsi i bardziej fachowi ode mnie tak twierdzą uparcie, zarówno w Stanach, w Anglii, jak i w Polsce), a przy okazji, omawiając ten problem najpierw we dwoje, a potem także i z samym Autorem, doszliśmy do dość ciekawych wniosków translatologiczno-kulturowo-historycznych, które mnie jako komparatystkę bardzo interesowały. Oczywiście Kapuściński, biorąc z ust swoich etiopskich rozmówców takie, a nie inne zwroty, uwydatniał ich podejście do władzy, ich mentalność, ich cechy charakteru. Rezultat osiągnął, ale równocześnie ten ton dla polskiego ucha był dużo mniej egzotyczny czy archaiczny, bo w polskiej świadomości lub podświadomości językowej – czy to się nam podoba, czy nie – funkcjonuje on w dużej mierze jeszcze jako ton współczesny.

Moją hipotezą byłoby, że dzieje się tak dlatego, iż o wiele dłużej niż gdzie indziej w Europie Zachodniej trwał u nas układ feudalny. W Europie Zachodniej jedynym wyjątkiem, wydaje mi się, jest nieco analogiczna pod tym względem Hiszpania. (Potwierdza mi się to w niektórych moich rozważaniach porównawczych tekstów literackich polskich i hiszpańskich, tam gdzie pewne zwroty językowe odzwierciedlają taką właśnie obyczajowość).

Otóż, długo trwający, a potem jeszcze zamrożony przez okres zaborów, system feudalny lub półfeudalny zostawił wyraźne ślady językowe i obyczajowe. Mogły się na to nałożyć też pewne wpływy wschodnie (moskiewsko-bizantyjsko-tatarskie), podkreślające przez bardziej wiernopoddańcze zwroty odległości między stopniami hierarchii społecznej (w *Cesarzu* Kapuściński opisuje coś podobnego, kiedy mówi o niezwykle rozwarstwionej strukturze stopni dostępu do poszczególnych ministrów, nie mówiąc o samym imperatorze). W polskim obyczaju językowym ciągle jeszcze często obowiązuje pewna forma tytułomanii, właśnie jako ślad wspomnianych historycznych kontekstów. Szczególnie silnie odczuwa się to na obszarze byłej Galicji, a zwłaszcza w Krakowie, a już chyba najbardziej na krakowskim uniwersytecie. Bywa to piękne i chwilami urocze, ale bywa też niepotrzebnie pretensjonalne i szkodliwie antydemokratyczne. Jak bardzo tkwimy w tytułomanii, uderza zwłaszcza po zetknięciu z innymi obyczajami językowymi i zachowaniami w relacjach do struktur władz akademickich, administracyjnych *etc.* w innych krajach. Kiedy wróciłam do Krakowa ze Stanów, o wiele bardziej uderzały mnie takie sytuacje, gdy sekretarka każe studentce na podaniu zmienić słowo Rektor na Jego Magnificencja, kiedy witając biskupa, zawsze używa się określenia Eminencja, nie mówiąc już o potrzebie użycia tytułu Pani Magister w aptece czy o groteskowych odbiciach tytułomanii w określeniach „kierowniku", „prezesie" czy skromniej „szefie" przez przedstawicieli sfer – nazwijmy je – literacko-łotrzykowskich.

Anglosaski obyczaj językowy jest dokładnie przeciwny, to znaczy widać w nim wyraźne silne ślady dość już długiej i utrwalonej tendecji demokratyzującej, skracającej i upraszczającej. Sprawa jest zresztą jeszcze bardziej złożona, gdyż na tę tendencję nakłada się też zamiłowanie do *understatement*, które jest ogromnie ważne dla ducha anglosaskiego sposobu wyrażania swoich myśli i uczuć, znów odwrotnie niż południowa, ale też i słowiańska skłonność do dramatyzowania językowej ekspresji.

A więc jako tłumacze przekładający z polskiego na angielski przy określeniach dotyczących cesarza i wyrażających właśnie tę skłonność do podkreślania dystansu między warstwami poddanych napotykaliśmy poważną barierę nieprzetłumaczalności.

Całkowicie może pokonać jej się nie dało, ale chyba udało się w sporym stopniu ją zredukować, a to dzięki temu, że oboje byliśmy zanurzeni w starej literaturze profesjonalnie i z zamiłowania. Ja czytałam wtedy mnóstwo XVI–XVII-wiecznych tekstów angielskich, hiszpańskich i francuskich, a Bill siedział w XVII, XVIII i XIX-wiecznych utworach i pismach angielskich, a więc miał niejako w uszach ten ton angielszczyzny, którym można było oddać na przykład zwroty bardziej uniżone w stosunku do władzy. A ja, też znając ten rejestr ze swoich lektur, mogłam mu coś podpowiedzieć czy skorygować jego sugestie lub w pełni je zaakceptować. Może gdybyśmy byli tłumaczami bardziej doświadczonymi, nie wyszłoby to tak dobrze. Paradoksalnie, przez to że było to nasze pierwsze tłumaczenie, bez żadnej rutyny, byliśmy otwarci na różne próby i w większym stopniu zdawaliśmy się też na intuicję językowo-literacką. Oczywiście mieliśmy mnóstwo wątpliwości, ale przynajmniej część z nich rozwiała się, kiedy mogliśmy pokazać Autorowi owoce naszego wysiłku i podzielić się swoimi przemyśleniami. Ryszard Kapuściński z ogromną radością i wręcz zachwytem czytał fragmenty tłumaczenia, gdy wreszcie udało się nam spotkać, a co najważniejsze – obdarzył nas swoim zaufaniem i ogromną życzliwością. A konkretnie: także i w sprawie określeń cesarza wyraził swoją aprobatę co do wybranych przez nas słów i całego tonu. Szczęśliwie wszyscy troje zgadzaliśmy się, że w dużej mierze intuicyjne złapanie odpowiedniego tonu jest najważniejsze. Pamiętam, jak bardzo podobało mi się, że Bill, odbierając już właśnie tę właściwą falę, dodał do wypowiedzi jednego z rozmówców zwrot *His August Majesty*, kiedy ten opowiadał o Hajle Sellasjem, nawet tam, gdzie tenże rozmówca wyczerpał już swój zasób komplementująco-uniżonych tytułów, którymi obdarzał władcę. Pan Ryszard też był zachwycony i powiedział, że całkowicie nam ufa i że to, co zrobiliśmy, już bardzo mu się podoba i na pewno będzie znakomicie, a on daje nam zielone światło, życząc jeszcze, byśmy się tym dobrze bawili (*Have fun with it*). Myślę, że to właśnie jeszcze bardziej nas uskrzydliło w dalszej pracy.

Piszę tu o przekładzie *Cesarza*, ale potem były przecież następne książki (Bill zaraz o tym opowie). Tak ogromna życzliwość i serdeczność były tym bardziej cenne, że widzieliśmy się po raz pierwszy. Przedtem był oczywiście kontakt listowny i parę rozmów telefonicznych. A wszystko, jeśli chodzi o nasze osobiste spotkanie i znajomość z Ryszardem Kapuścińskim, zaczęło się od listu wysłanego przeze mnie w kwietniu 1980 roku na adres wydawnictwa „Czytelnik". Pisałam w nim, że uważam *Cesarza* za ogromnie wartościową książkę, opowiedziałam o sobie i o pomyśle na tłumaczenie wspólnie z mężem. Po stosunkowo niedługim czasie dostałam list od Ryszarda Kapuścińskiego, w którym entuzjastycznie zgadzał się na moją propozycję, mimo iż napisałam szczerze i uczciwie, że dotąd nigdy nie przetłumaczyliśmy żadnej książki. Życzył nam powodzenia i prosił o dalsze informowanie go, jak nasz eksperyment przebiega, a my, oczywiście, przekazywaliśmy wiadomości i z frontu tłumaczeniowego, i z poszukiwania wydawcy, bo Bill podjął się tego trudnego zadania. Pozostawaliśmy w kontakcie, ale dopiero wiosną 1981 roku udało nam się spotkać w Krakowie, gdzie wtedy mieszkaliśmy. Oczarował nas serdecznością, osobistym urokiem, wiedzą o świecie, ale także mądrą troską o tych, którzy mają najmniej chleba i wolności.

Kiedy zastanawiam się nad sukcesem już nie tylko *Cesarza*, ale całego pisarstwa Kapuścińskiego, to wydaje mi się, że wśród różnych przyczyn warto wymienić obecność empatii. Jego książki można zaliczyć do czegoś w rodzaju *litterature engagée*, w najlepszym sensie tego określenia, a równocześnie jego pisarstwo nie ma zupełnie tych fatalnych cech takiej literatury, jak: naiwność, sentymentalizm, a co może jeszcze ważniejsze, nie tylko nie ma nudnej, grubymi nićmi szytej formy propagandowej, ale ma oryginalną, ciekawą, nową formę łączącą różne rodzaje przekazu w atrakcyjną mozaikę. Mozaikę, w której jest miejsce i na szybką akcję, narrację dramatycznych wydarzeń; często głosy przekazujące informacje są różne, więc możemy zobaczyć te wydarzenia w różnym świetle, są przefiltrowane przez odczucia ludzi o rozmaitych losach, jest też miejsce na refleksję, na oddanie leniwie płynącego gdzieś popołudnia, jest humor, jest smutek, jest filozoficzna mądrość i mądrość prostych ludzi, ale za tym wszystkim pulsuje współodczuwanie twórcy tej mozaiki. Jeśliby porównać obraz słowem malowany, jaki otrzymujemy w prezencie od Kapuścińskiego, do pięknego dywanu (w *Szachinszachu* są fragmenty dotyczące perskiej miłości do dywanów), to uroda tej prozy bierze się z rozmaitości kolorystycznej i kompozycyjnej, z ciekawych eksperymentów łączenia różnych gatunków i stylów (*Podróże*

37

z *Herodotem*), a równocześnie nie są to literackie sztuczki prestidigitatorskie. Jego książki pulsują żywym tętnem zaangażowania Autora i jeśli poznało się osobiście Ryszarda Kapuścińskiego, nie ma się wątpliwości, że jest to ciepło płynące z jego wrażliwego serca, znakomicie kontrolowanego przez precyzyjny umysł oraz zdolność do dalekowzroczności i wyobraźni historycznej.

Jednym słowem, autor *Cesarza* wziął najlepsze elementy z dwóch epok i połączył je w jedno: z lat siedemdziesiątych – zaangażowanie społeczne, potrzebę naprawy tego, co w świecie niesprawiedliwe i okrutne, marzenie o lepszym świecie bez rasizmu i bez biedy, a z postmodernizmu – nowe formy ekspresji i narracji. Co do postmodernizmu, to właściwie nie tyle wziął, ile prekursorsko zastosował pewne eklektyczne zabiegi, odnawiające literaturę piękną i literaturę faktu, wzajemnie się zapładniające. W ten sposób uniknął braku idei i duchowości, na jaki cierpi spora część modnej literatury współczesnej, popisującej się pełnymi inwencji grami formalnymi, a literaturę zaangażowaną, pewien jej wariant, uczynił atrakcyjną przez nowatorstwo formy.

Czy rzeczywiście to skrzyżowanie epok stało się ważne dla odbiorców pisarstwa Kapuścińskiego na całym świecie, nie wiem, to tylko taka moja hipoteza, może przemawia przeze mnie *deformation professionelle* historyka literatury. Ale jeśli chodzi o wysoki stopień wrażliwości społecznej i empatii, jakimi odznacza się Ryszard Kapuściński jako pisarz, dziennikarz i człowiek, tego jestem pewna. Nie zapominajmy też, że zdobywał on swoje szlify reporterskie jako korespondent w Afryce i Ameryce Łacińskiej wtedy, kiedy tworzyły się mity takich postaci jak Lumumba czy Che Guevara, kiedy jeszcze można było mieć nadzieję, że mimo trudnych i dramatycznych wydarzeń tzw. Trzeci Świat wyjdzie z nędzy i wyzwoli się z wszelkich form kolonializmu. I choć wiele marzeń z tej epoki okazało się całkowitą iluzją, Kapuściński wyciągnął odpowiednie wnioski, ale nigdy nie stracił wrażliwości i empatii, jeśli chodzi o cierpienia ludzi, może szczególnie tych kontynentów. Sam zresztą o tym wielokrotnie mówił i mówi w czasie spotkań z czytelnikami, studentami czy w wywiadach. Często zaznacza, że własne przeżycia z dzieciństwa w czasie wojny przyczyniły się do uwrażliwienia go na głód i różne cierpienia fizyczne i psychiczne. Wrażliwość taka jest zawsze potrzebna, a szczególnie dzisiaj, kiedy we współczesnym świecie coraz szybciej rośnie przepaść między sytymi a głodnymi, których jest coraz więcej. Konieczność pamiętania o tym i działania, by to zmienić, Kapuściński podkreśla na każdym kroku. Wydaje mi się, że taka jego postawa przekłada się również na uniwersalność przesłania jego książek, a to z kolei na sukces, i to najwyższej jakości.

Zaczęłam moje rozważania od przypomnienia momentu, w którym wpadłam na pomysł, że warto by przetłumaczyć *Cesarza*. Mówiłam o moich poszukiwaniach utworów autorów polskich, które byłyby uniwersalne (choć równocześnie unikalne) i zrozumiałe dla odbiorców poza granicami Polski.

W tej chwili, 23 lata później, gdy *Cesarz* w naszym przekładzie zostaje wydany przez Penguin Books w serii Modern Classics jako książka jedynego polskiego autora, który uznany został za klasyka światowej literatury współczesnej, cieszę się, że mogliśmy się z moim mężem do tego przyczynić. I myślę, że ten moment w samolocie nad Atlantykiem to był dobry, szczęśliwy moment.

**Katarzyna Mroczkowska-Brand**, rocznik 1950, jest historykiem literatury, tłumaczem, nauczycielem akademickim w Katedrze Komparatystyki Literackiej Wydziału Polonistyki Uniwersytetu Jagiellońskiego (z wykształcenia romanistka, anglistka i hispanistka).

Jest córką wybitnego anglisty prof. Przemysława Mroczkowskiego. Język angielski zna od dziecka (jako siedmiolatka spędziła rok w szkole z internatem w Anglii). Cztery lata (1977–1981) pracowała w USA, na Uniwersytecie w Rochester, gdzie się doktoryzowała.

Pierwsza angielska tłumaczka (wspólnie z ówczesnym mężem Williamem R. Brandem) Ryszarda Kapuścińskiego: *Cesarz* (1983), *Szachinszach* (1985), *Jeszcze dzień życia* (1986). Autorka książki *The Theatrum Mundi Metaphor in Spanish and English Drama 1570–1640* (Universitas, Kraków 1993) i wielu artykułów oraz esejów historycznoliterackich.

William Brand

# Prawnik zażądał
# notarialnych poświadczeń z Etiopii

Ryszarda Kapuścińskiego poznaliśmy w Krakowie, w parny dzień, późną wiosną 1981 roku. W kieszeni beżowej bluzy miał paczkę radomskich. Powiedział do mnie: „Z tą brodą wygląda pan jak mudżahedin".

On nie był autorem często publikowanym poza Polską, a ja i Kasia nigdy wcześniej nie tłumaczyliśmy całej książki. Po dziewięciu miesiącach starań nadal nie mieliśmy wydawcy i przetłumaczyliśmy zaledwie jedną trzecią *Cesarza*. Zapewne zrezygnowalibyśmy, gdyby nie jedna rzecz, którą powiedział nam tamtego dnia.

Pracę nad *Cesarzem* zaczęliśmy wiosną 1980 roku, jeszcze w USA.

Abe Rosenthal, kolega z St. John Fisher College, gdzie wtedy wykładałem, opublikował kilka nieakademickich książek i miał agenta w Nowym Jorku. Zgodził się, bym spróbował przekonać go do *Cesarza*. Kiedy skończyłem, spojrzał przez okno na śnieżycę i powiedział: „Dobrze, więc mamy tu książkę napisaną przez polskiego dziennikarza. O Etiopii. A ty pytasz, czy moim zdaniem byłby

WILLIAM BRAND

zainteresowany jej wydaniem mój nowojorski agent. Pozwól, że wyjaśnię ci, jak działa rynek wydawniczy".

Spore próbki tłumaczenia wysłaliśmy do co najmniej kilkunastu najlepszych wydawnictw. Z niektórych otrzymaliśmy grzeczne odmowy.

Kasia napisała do Kapuścińskiego, pytając o kontakty. Dzięki uprzejmości Wiktora Osiatyńskiego nawiązaliśmy kontakt z Alvinem Tofflerem, ale nawet on, mistrz bestsellerów z kręgu literatury faktu, nie był w stanie nam pomóc.

Tamtej zimy przeprowadziliśmy się do Krakowa, przyjeżdżając w dniu, w którym „Solidarność" doszła do porozumienia z rządem w sprawie wolnych sobót.

Przez następnych parę miesięcy znajdowaliśmy od czasu do czasu godzinę, dwie, by popracować nad tłumaczeniem.

Po polsku umiałem powiedzieć niewiele więcej poza „zaraz wracam". Podczas pracy nad tłumaczeniem Kasia najpierw proponowała dosłowny przekład. Słuchając jej komentarzy, starałem się zrozumieć (lub raczej wyobrazić sobie) odcienie znaczeń, które opisywała, i logikę, którą kierował się autor, dobierając słowa – w sytuacji, w której prawie każde słowo było dla mnie nowe. Przypominało to rozwiązywanie krzyżówki – raczej w stylu brytyjskim niż amerykańskim. Ponieważ Kasia jest taka, jaka jest, wiele było celnych trafień, kiedy to jej pierwsza wersja tłumaczenia „na brudno" okazywała się od razu tak dobra, że jedyne, co musiałem zrobić, to ją zapisać. W innych momentach, zwłaszcza gdy wciąż brakowało wydawcy, zastanawialiśmy się, czy to, co robimy, w ogóle ma sens.

Właśnie dlatego nasze pierwsze spotkanie z Kapuścińskim miało tak duże znaczenie. Po wymianie wstępnych grzeczności Kasia pokazała listę kilkunastu fragmentów, co do których mieliśmy wątpliwości.

Siedzieliśmy we trójkę, niewygodnie ściśnięci wokół szorstkiego brązowego obrusu przykrywającego okrągły, składany stół, w mansardzie malutkiego domu przy ulicy Szopena, próbując zdecydować, czy określone zdanie po angielsku ma cokolwiek wspólnego ze zdaniem po polsku. Najgorsze były przymiotniki – dziwne, podobno trochę archaiczne.

Ryszard rozwiązał nasz problem. „Słuchajcie – wydaje mi się, że pamiętam, jak mówi to po angielsku, widzę, jak odchyla się do tyłu i podnosi ręce – róbcie, jak uważacie, byle byście mieli z tego przyjemność!" A potem spojrzał na zegarek, a my odprowadziliśmy go – mijając po drodze kino Mikro – na spotkanie ze studentami w Collegium Novum.

Niczym bohaterowie w kiepskim filmie, w którym wszyscy wciąż mówią o Wilhelmie Reichu, w jednej chwili uwolniliśmy się od wszystkich wątpliwości i zahamowań.

Wracałem z zajęć do domu i znajdowałem Kasię nad kartkami (a raczej wielkimi kratkowanymi arkuszami, innego papieru nie można było kupić w tamtych dniach), które zapisywała, jedną po drugiej. Ja siedziałem po nocach, bazgrząc to i owo. Potem siadaliśmy razem.

Upajaliśmy się splendorem tego specyficznego językowego wszechświata.

Miałem bilet na lot do Stanów, termin wyjazdu się zbliżał, więc wykonaliśmy wielki wysiłek, żeby skończyć tłumaczenie. Dokładnie mówiąc, skończyliśmy je, poprawili, a potem jeszcze raz dopracowali.

W Ameryce czas wlókł się powoli – bez odliczania dni do inwazji lub strajku generalnego.

Opracowałem ostateczną, taką dopieszczoną wersję *Cesarza*. Wkrótce praca była skończona.

Wtedy poczułem przerażenie. Przyszedł czas na znalezienie wydawcy, czyli na coś, co próbowaliśmy bezskutecznie zrobić za pomocą naszej próbki niecały rok wcześniej. Radziłem sobie z tym lękiem, pracując dniem i nocą, by przygotować jeszcze bardziej dopracowaną wersję.

W tygodniu poprzedzającym mój powrót do Polski kilka razy pojechałem do biblioteki na Uniwersytecie w Pittsburghu. W dziale bibliograficznym studiowałem ogromne przewodniki po rynku wydawniczym, książki, które kosztowały setki dolarów. Zamiast znaleźć pocieszenie, popadałem jednak tylko w większy pesymizm. Jak przeczytałem, nie mogło być nic gorszego od przesyłki na ślepo, czyli maszynopisu, który nie był zamówiony, a który trafia do wydawcy i ląduje wśród badziewia, czyli masy tekstów, które najmłodsi asystenci redaktorów musieli zabierać do domu i przeżuwać nocami. Jedynym sposobem na uniknięcie katastrofy było posiadanie superagenta (a nam nie udało się znaleźć nawet zwykłego agenta) lub „trafienie w dziesiątkę – do tego jednego wymarzonego redaktora". Przewodniki po rynku wydawniczym nie zawierały żadnych rad dotyczących szukania idealnego redaktora, a jedynie listy nazwisk.

Jadąc po raz ostatni do biblioteki, nie miałem żadnego planu.

Dowlokłem się do czytelni czasopism i zapaliłem papierosa, gapiąc się na fasadę Carnegie Museum pokrytą sadzą niczym krakowska Wieża Ratuszowa. Od niechcenia, szukając czegoś dla odwrócenia uwagi, sięgnąłem po leżący obok numer „New Yorkera" i zacząłem przeglądać reklamy: futer, szampana i diamentów. Nagle moją uwagę przykuła rzadkość – strona pokryta tekstem. Artykuł dotyczył Helen Wolff, wdowy po przedwojennym wydawcy Kafki Kurcie Wolffie. Ta uciekinierka z nazistowskich Niemiec była kultową postacią w Nowym Jorku. U podstaw jej długiej kariery leżały tłumaczenia wybitnych europejskich autorów. Pasternak, Grass, Simenon, Frisch, Italo Calvino – była wydawcą ich wszystkich.

Popędziłem do przewodników po rynku wydawniczym w poszukiwaniu jej adresu.

Wczesnym rankiem w poniedziałek, tuż przed wyjazdem na lotnisko, wysłałem maszynopis wraz z listem zaadresowanym do Helen Wolff do wydawnictwa Harcourt Brace Jovanovich.

Już w Krakowie oczekiwanie na jakąkolwiek reakcję nie wydawało się tak realne. Mieliśmy inne zmartwienia. Sytuacja w kraju zdawała się coraz bardziej przypominać wir wciągający w przepaść. Spodziewaliśmy się pierwszego dziecka, które miało urodzić się w nowym roku. Największym problemem było, jak zdobyć jedzenie. Jeżeli chodzi o książkę Kapuścińskiego, to już zrobiliśmy wszystko, co mogliśmy.

Biorąc pod uwagę sprawność poczty, być może mogliśmy spodziewać się odpowiedzi przed przyjściem dziecka na świat. Po kilku tygodniach nadszedł telegram od Helen Wolff. Kilka linijek po angielsku, przyklejonych do szarego formularza pocztowego, zawierało informację o tym, że pani Wolff zadzwoni w niedzielę. W tamtych czasach osoby oczekujące na telefon zamiejscowy siedziały przy aparacie i czekały czasami całymi dniami. W tym przypadku nie musieliśmy czekać długo. Na linii zza oceanu, w rwącym się połączeniu, pani Wolff miała ciepły głos i przeszła prosto do sedna.

Kapuściński ustanowił mnie swoim agentem. Kupiłem bilet do Nowego Jorku, aby podpisać umowę.

30 listopada, pamiętam, padał śnieg. Minąłem odgrodzony teren stacji meteorologicznej w parku Krakowskim, gdzie mieszkał ślepy kot skazany na jedzenie zostawiane mu przez ludzi, którzy sami mieli problemy ze zdobywaniem żywności dla siebie i swoich rodzin. Niewielka, wyblakła nalepka promująca Niezależny Związek Zawodowy Funkcjonariuszy MO wciąż tkwiła na drzwiach starej rozdzielni elektrycznej obok kiosku i budki z burgerami rybnymi, naprzeciwko kina Mikro i siedziby tajnej policji. Nigdy żadne miejsce na świecie nie było tak odległe od Nowego Jorku. Kraków wydawał się bezbronny, a ja cieszyłem się, że załatwię sprawy w Stanach i wrócę na moje pierwsze Boże Narodzenie w Polsce, a wkrótce potem na narodziny naszego dziecka.

Umowę podpisałem nie z Helen Wolff, która przeszła na emeryturę, lecz z jej następczynią Drenką Willen, wydawcą Milovana Djilasa. Sprawa zajęła jakieś pół godziny.

Zostało mi trochę czasu przed powrotem. Kilka tygodni ledwie. Ale nadszedł 13 grudnia.

Polska została odcięta od świata szczelniej niż Etiopia. Starałem się przesłać Kasi wiadomość przez Głos Ameryki, lecz nie miałem nic sensownego do powiedzenia. Zadzwoniłem do działu Europy Wschodniej w Departamencie Stanu USA. Zamiast udzielić mi pomocy, sami chcieli uzyskać informacje. Od Kapuścińskiego miałem numer do kogoś z polskiej ambasady przy ONZ. Kiedy w końcu udało mi się dodzwonić i zapytać dyplomatę o warunki i możliwą datę powrotu do Polski, powiedział mi, że nie miał kontaktu z Warszawą od 13 grudnia.

Pewnego ranka zadzwonił prawnik z Harcourt Brace. Było jasne, że nie chciał rozmawiać o stylistyce.

Powiedział, że potrzebuje pewnych oświadczeń i uwierzytelnień.

Poinformowałem go, że podpisanie jakichkolwiek oświadczeń i uwierzytelnień przez pana Kapuścińskiego nie będzie możliwe do czasu wyjaśnienia się sytuacji w Polsce.

„Nie chodzi koniecznie o coś, co musi podpisać pan Kapuściński", powiedział. Potrzebował oświadczeń i uwierzytelnień od obywateli Etiopii, opisanych w książce. Chciał otrzymać podpisane, potwierdzone notarialnie oświadczenia zawierające ich prawdziwe nazwiska i adresy, w których zagwarantują prawdziwość swoich zeznań i uwolnią wydawcę od ewentualnej odpowiedzialności prawnej.

Ci ludzie, odparłem, to pałacowi oficjele, ukrywający się przed marksistowskim reżimem rewolucyjnym. Rozmawiali z autorem potajemnie, pod warunkiem pełnej anonimowości. Sama próba nawiązania z nimi kontaktu może znaczyć dla nich śmiertelne niebezpieczeństwo.

Sprawy mają się tak, mówił prawnik, że atmosfera wszechobecnego pozywania do sądu jest groźniejsza niż marksistowski ruch rewolucyjny. Żaden wydawca nie może pozwolić sobie na wydanie książki, w której jeden człowiek mówi cokolwiek na temat drugiego, bo osoba, której dotyczy dana wypowiedź, może po prostu pozwać wydawcę, oskarżając go o oszczerstwo. Chyba że zostanie potwierdzone notarialnie, że to, co powiedziała, jest zgodne z prawdą. A jeżeli jakakolwiek informacja opublikowana w książce – a niepotwierdzona wcześniej notarialnie – skrzywdzi kogokolwiek, wówczas osoba ta może pozwać wydawcę. Mówimy o pozwach opiewających na miliony dolarów. Każda osoba cytowana w jakiejkolwiek książce musi dostarczyć oświadczenie uwierzytelniające. Do momentu przedstawienia tych dokumentów przez autora lub jego pełnomocników umowa dotycząca publikacji nie będzie wiążąca prawnie.

Tu zacytował odpowiednie fragmenty umowy, którą z taką dumą podpisałem kilkanaście dni wcześniej.

– Proszę dać mi trochę czasu, powiedziałem – Oddzwonię do pana.

Tylko tego mi brakowało: nie dość, że wprowadzono stan wojenny, to jeszcze publikacja *Cesarza* była zablokowana. Oddzwoniłem i zasugerowałem dosyć mętną formułkę dotyczącą zastosowanych przez autora profesjonalnych metod przeprowadzania wywiadów, a także zapewniłem ponownie, że żaden fragment książki nie doprowadzi do identyfikacji konkretnych osób oraz że autor i jego przedstawiciel gotowi są wziąć na siebie odpowiedzialność za wszelkie roszczenia powstałe w Etiopii. Prawnik kupił moje argumenty.

Kapuścińskiemu udało się przyjechać do Nowego Jorku na publikację *Cesarza* w 1983 roku. Oto stał w recepcji wydawnictwa z promiennym uśmiechem i dwiema dużymi reklamówkami, wypełnionymi książkami, papierami, kserokopiami i listami. Jeszcze tego popołudnia podczas przyjęcia w Klubie Korespondentów Zagranicznych uruchomił wszystkie kontakty, które udało mu się nawiązać w różnych krajach przez ćwierć wieku. Ludzie lubili z nim rozmawiać, nie tylko dlatego że jest inteligentny i pełen pomysłów, ale dlatego że wierzy w to, co mówi, patrzy rozmówcy prosto w oczy oraz – co najważniejsze – autentycznie, w widoczny sposób rozkwita, wchodząc w interakcje z innymi ludźmi, w chwili spotkania, gdy może słuchać. Interesuje się ludźmi.

Myślę, że w tym leży klucz jego sukcesów. Traktuje ludzi jak indywidualności, które warte są zainteresowania. Snując rozważania teoretyczne, rozciąga to założenie na całe kraje, kontynenty i kultury. Rozumie świat, ponieważ rozumie pojedynczych ludzi, i na nich mu zależy, w sposób, który wielu imituje, a inni nawet nie zadają sobie trudu, by imitować.

Zawsze był troskliwy i dobrze się z nim pracowało, nawet gdy nasze poglądy na rytm i długość zdań się różniły.

Kiedy przyjeżdżałem do Warszawy, wiózł mnie swoją granatową ładą do mieszkania na Woli, gdzie, jak mówił, przez nieskończenie długie dni izolował się, powstrzymując się od czytania, zanim mógł zacząć pisać. Dzielił się najświeższymi plotkami, nie był optymistą, mówił o możliwości klasycznego przewrotu wojskowego w Polsce. Na sugestię, że przeżyjemy Związek Radziecki, obruszył się. „Imperia upadają długo", powiedział.

Był szczodry na wiele sposobów, nawet w sprawach najbardziej przyziemnych. Po spotkaniu w Krakowie w związku z przekładem *Szachinszacha* podwiózł mnie do centrum konferencyjnego za Tarnowem, gdzie miałem prowadzić zajęcia. Dowiedziałem się później, że na przedmieściach Warszawy skończyła mu się benzyna i musiał wrócić do domu okazją. Czułem się okropnie, ale on tylko zaśmiał się i powiedział, że zdarzało mu się utknąć w gorszych miejscach.

Rok akademicki był poświęcony prowadzeniu zajęć, a lato tłumaczeniom.

Kiedy taśma w maszynie do pisania była już tak zużyta, że dalej nie można było pisać, chodziłem do Axmanna na ulicę św. Krzyża. Maszyny do pisania i mechaniczne kalkulatory, którymi zasłana była podłoga, wyglądały tak, jak gdyby od lat trzydziestych czekały, aż odbiorą je ich właściciele. Nigdzie w Krakowie, włącznie ze sklepem Axmanna, nie można było dostać nowej taśmy do maszyny do pisania. Ale jeżeli postało się tam wystarczająco długo, z błaganiem na twarzy, to w końcu zgadzali się na wymianę, brali zużytą taśmę, odwijali trochę mniej zużytą z rol-

ki w jednej z maszyn czekających na naprawę i przekładali ją na szpulę klienta.

Papier do maszyny do pisania w formacie A4 był również nie do dostania.

Zwyczajne zeszyty szkolne, które można było kupić w kio-
skach, składały się z kartek A4, złożonych w pół i zszytych
w mieście Strzegomiu. Kupowałem te zeszyty, wyciągałem
zszywki i wystukiwałem na nich książki Kapuścińskiego po
angielsku. Choćbym nie wiem ile razy odginał kartki w drugą stronę, zawsze pozostawał ślad po złożeniu. Na środku
kartki znajdowały się dziury – ślady po wyjętych zszywkach.
Czasami nikłe plamy rdzy podkreślały owe dziury. Zastanawiałem się, co myśleli sobie w Nowym Jorku po otrzy-
maniu najnowszej książki Kapuścińskiego, składającej się
z ledwo widocznego tekstu pokrywającego dziurawy papier.

Po skończonym dniu pracy nad przekładem *Jeszcze
dzień życia* szedłem na spacer. Nastało lato 1987, w którym
kawiarnia „Wiedeńska" w Sukiennicach otworzyła pierwszy na Rynku „ogródek" z oświetleniem. Aż do jedenastej
wieczorem można było zamówić kawę. W ciemnościach
otaczających kawiarnię dzieciaki grały na gitarach i rozbi-
jały się na deskorolkach. Niektórzy rozmawiali po włosku.
Raz lub dwa tego lata usłyszałem nawet angielski. Chudy
młodzieniec z rudą brodą monotonnie uderzał w wysoki
afrykański bębenek, ale ja wciąż jeszcze nie czułem nowego rytmu, który wybijał. „Imperia upadają długo" – mówił
głos w mojej głowie.

Kluczowy moment dla *Cesarza* w USA nadszedł
wraz z niezwykle pozytywną recenzją Johna Updike'a

w magazynie „The New Yorker". Takie pochwały, od jednego z najlepszych autorów w kraju, w najlepszym piśmie, to gwarancja sukcesu. Było jasne, nawet w 1983 roku, że Kapuściński ma ugruntowaną pozycję w Ameryce jako kultowy autor. Czytelnicy będą szukać jego książek rok po roku. Innymi słowy, karierę w Ameryce rozpoczął od stania się klasykiem.

Prawie ćwierć wieku temu Amerykanie podróżowali mniej i wiedzieli o świecie mniej niż dzisiaj. Nie bali się również świata tak bardzo jak dziś. Polska, nowo odkryty kraj, była atrakcyjna i odgrywała ważną rolę w mediach. Te czynniki oznaczały, że *Cesarz* został odebrany w sposób dosyć otwarty. Jego przesłanie dotyczące Etiopii zostało odczytane jako mądra medytacja nad tym, gdzie są granice tego, co można osiągnąć w Trzecim Świecie, a alegoryczne podobieństwo do sytuacji w Polsce, które było często wspominane, przemieniło książkę w magiczną przypowieść o zmianie. Rzecz jasna, naprawdę magiczna była sama jakość książki.

Kolejna książka Kapuścińskiego, *Szachinszach*, przyniosła temat Iranu, który był w centrum zainteresowania USA – szach był ważnym sojusznikiem, a zakładnicy w ambasadzie w Teheranie byli Amerykanami. Wkrótce jeden z uwolnionych zakładników zaczął mówić – między innymi – o zbyt dużej wyrozumiałości wobec Irańczyków i, co gorsza, o faktograficznych nieścisłościach w relacji Kapuścińskiego.

Amerykanie bywają przyziemni. Pierwsze pytanie na temat jakiejkolwiek książki brzmi: „to fikcja czy literatura faktu?". W ostatnich dekadach powtarzały się skandale związane z „wymyślaniem faktów" przez reporterów czołowych gazet. Taka atmosfera wprowadza w osłupienie przyziemnych krytyków literackich: jeżeli książki Kapuścińskiego są tak pełne literackiego piękna, to jak to możliwe, że należą do literatury faktu? Nie można traktować ich jako podręczników do historii Etiopii czy Iranu? Szok! Horror! Krytycy czasami reprezentują ten sam typ myślenia, który charakteryzował prawnika z wydawnictwa Harcourt, żądającego notarialnych poświadczeń od bohaterów *Cesarza*. Jest to jednak zjawisko marginalne.

W USA Kapuściński był nowatorem. Istnieli już pisarze tworzący w tym samym nurcie, ale rzadko kiedy wypuszczali się za granicę. Kapuściński mówił o długu wobec nowego dziennikarstwa, z Tomem Wolfem włącznie. Wielu czytelników widziało w nim Huntera Thompsona – twórcę *gonzo journalism* – z tym, że bez kokainy. Trzeci Świat w opisach Kapuścińskiego był bardziej psychodelicznie egzotyczny niż „podbrzusze amerykańskiej bestii" Thompsona.

W Wielkiej Brytanii z kolei Kapuściński wpisywał się w znajomy model uprawiania dziennikarstwa. Od dawna brytyjscy pisarze podróżowali w nieznane rejony świata, cudem unikając śmierci, i wracali do domu, by ironicznie to opisać. Richard Burton, Rebecca West i Robert Byron to klasyczni przedstawiciele tego nurtu. Dokładnie w tym samym momencie, w którym Kapuściński wkroczył na arenę w latach osiemdziesiątych, następował proces demokratyzacji zarówno podróżowania, jak i literatury podróżniczej. Mawiano, że by napisać bestseller, wystarczy wybrać losowo dwa miejsca na ziemi i przejechać rowerem z jednego do drugiego. Była to naturalna nisza, stworzona jak gdyby wprost dla Kapuścińskiego. Modne czasopismo „Granta" zamieszczało ekstremalne relacje z podróży, zawierające opisy używania nikomu nieznanych narkotyków lub zarażania się nikomu nieznanymi chorobami na szlakach nieuczęszczanych przez tłumy turystów. Opowieści Kapuścińskiego, zwłaszcza te z książki znanej w USA jako *The Soccer War*, a w Wielkiej Brytanii jako *The Football War* (których spis treści jedynie w niewielkim stopniu przypomina ten z polskiej książki *Wojna futbolowa*), przewyższały prozę brytyjskich turystów literackich. „Granta" przechwyciła Kapuścińskiego, czyniąc go jednym ze swoich flagowych pisarzy.

Zapotrzebowanie na jego twórczość było w połowie lat osiemdziesiątych tak duże, że pewien krótki fragment *Buszu po polsku* musiałem przetłumaczyć na miejscu, przy wolnym stole w zatłoczonym biurze „Granty" na poddaszu w Cambridge, nim redaktor zgodził się zabrać mnie na obiad. Lunch okazał się zwykłym pubowym posiłkiem, ale druk któregokolwiek z fragmentów *Buszu...* zawsze niezwykle mnie cieszył. Nadal uważam, że to wielka szkoda, iż pierwsza książka Kapuścińskiego, zawierająca niektóre z jego najlepszych i najświeższych utworów, nigdy nie została w całości opublikowana po angielsku.

Anglicy tradycyjnie postrzegają „zagranicę" jako jedno konkretne miejsce, do którego się podróżuje lub w którym się mieszka (na tej samej zasadzie, na jakiej ludzie w innych krajach mówią, że jadą do Chorwacji lub mieszkają w Meksyku). W związku z tym różnice pomiędzy poszczególnymi krajami interesują ich głównie w kontekście cen alkoholu lub przepisów dotyczących wwożenia papiero-

sów, a takie kwestie jak odniesienie twórczości Kapuścińskiego do sytuacji w jego ojczystej Polsce znaczą dla nich
mniej niż dla przyziemnych niekiedy Amerykanów. Ale to
przede wszystkim w Anglii grupy jego czytelników trak-
towały twórczość Kapuścińskiego aż do bólu dosłownie.
Opowiadał mi o tym, jak kiedyś musiał tłumaczyć się ze
swojego sposobu przedstawienia Hajle Sellasje przed scep-
tyczną i umięśnioną grupką rastafarian, którzy czcili głów-
nego bohatera *Cesarza*. Kiedy Jonathan Miller wystawił
swoją fenomenalną adaptację tej książki w londyńskim
Royal Court Theatre, emigranci z Etiopii demonstrowa-
li przed teatrem.

Każda z wczesnych książek Kapuścińskiego to już
klasyka. Względy polityczne wspomniane wcześniej rzucają ledwie dostrzegalny cień na *Szachinszacha*. Natomiast najbardziej zadziwiającą rzeczą, dotyczącą dzisiejszej sławy Kapuścińskiego, jest fakt, że *Jeszcze dzień
życia*, najmniej Kapuścińskie (ale najbardziej Conradow-
skie) z jego dzieł, wymienia się na drugim miejscu, zaraz po *Cesarzu*. Nadrabiając zaległości w lekturze podczas pracy nad tym tekstem, natykałem się na ekstatycz-
ne zachwyty krytyków cytujących opisowe fragmenty tej
opowieści o upadku portugalskiego kolonializmu i nie
zdziwię się, jeżeli powstanie jej adaptacja filmowa. Kan-
wa już tam jest: oślepiony słońcem reporter podróżuje
tam i z powrotem szosą śmierci między zmysłową por-
tugalską pięknością, pozostawioną w opuszczonej stolicy, a oszałamiającą, oddaną bojowniczką, która dowodzi
walką w buszu.

Wtedy być może zacznie się prawdziwy spór – który ak-
tor powinien zagrać Kapuścińskiego? Przez prawie ćwierć

wieku sam rewelacyjnie radzi sobie z tą rolą, a uznanie dla jego życiowych osiągnięć wciąż rośnie po obu stronach Atlantyku.

*przełożyła Maria R. Brand*

**William R. Brand** urodził się w 1953 r. w Pensylwanii, USA. Jest anglistą, absolwentem Uniwersytetów Pittsburgh i Rochester. Po raz pierwszy przyjechał do Polski w 1976 r. Z żoną Katarzyną Mroczkowską-Brand przełożyli: *Cesarza* (1983), *Szachinszacha* (1985) i *Jeszcze dzień życia* (1986); a sam już *Wojnę futbolową* (1990), a także książki beletrystyczne, historyczne, pamiętniki. Jest autorem kilku filmów dokumentalnych, m.in. *Jestem polskim Żydem* (z Jerzym Ridanem, o Rafaelu Scharfie). Został wyróżniony nagrodą Fundacji Kultury Polskiej (1990). Mieszka w Krakowie.

KLARA GŁÓWCZEWSKA

# ZIEMIA – KOSMOS – ZIEMIA

Podczas otwarcia Instytutu Książki (11 stycznia 2004), które było połączone z hucznymi obchodami 60. urodzin Andersa Bodegårda, Ryszard Kapuściński, składając hołd swojemu tłumaczowi, powiedział: „Nie doceniamy, myślę, faktu, że znana nam światowa literatura tylko w połowie pisana jest przez autorów. W pozostałej części tworzą ją tłumacze". Sądzę, że obdarza nas zbyt wielkim kredytem zaufania. Sztuka translatorska to sztuka mimikry. W eseju z 1941 roku Vladimir Nabokov napisał, że tłumacz musi między innymi „umieć odegrać rolę autora (...), jego zachowanie i mowę, jego obyczaje i sposób myślenia". Wybitna książka istnieje w wersji oryginalnej; zadanie tłumacza polega na jej odtworzeniu, naśladowaniu głosu autora w innym języku. Jesteśmy żarliwymi imitatorami.

W tym zamyśle o odgrywaniu roli autora kryje się dla mnie pewien zakazany dreszcz translatorskiej emocji. Bo to jest emocjonujące i w znacznej mierze przerażające – czymże byłby dreszcz emocji bez lęku? Porównałabym pracę nad tłumaczeniem do wyprawy w przestrzeń pozaziemską, ku jakiejś odległej gwieździe – i tak jak statek

KLARA GŁÓWCZEWSKA

kosmiczny startuje z wyznaczonego miejsca, przemierza bezkresne przestrzenie, a potem cudem ląduje w punkcie dokładnie i z góry przewidzianym, tłumaczony tekst musi jakoś odbić się od języka, w którym powstał, przemierzyć rozległe obszary nowych i praktycznie niewyczerpanych lingwistycznych rozwiązań, konfiguracji, galaktyk, by następnie powrócić bezpiecznie do własnej, stworzonej przez autora treści. Tłumacz jest kapitanem tego statku, a podróż (mówię tu wyłącznie we własnym imieniu) nie zawsze przebiega łatwo i bezpiecznie.

Pierwszy szkic tłumaczenia *Podróży z Herodotem* nadal leży na półce przy moim biurku, tuż obok końcowej wersji maszynopisu, który przekazałam wreszcie amerykańskiemu wydawcy książki Alfredowi A. Knopfowi. Ten pierwszy brudnopis liczy sobie niemal dwa razy tyle stron co ostateczny. Monstrualnie rozdęta, groteskowa wersja tego, czym w końcu stanie się książka. Dzieje się tak, ponieważ prawie każde słowo ukończonego przekładu ma dwa, trzy, cztery (a niekiedy nawet więcej) odpowedników we wstępnym szkicu. Na przykład polskie słowo „mroczne" – czy oddać je przez *dim*, *dark* czy *dusty*? A „mętniactwo"? Czy przełożyć to jako *confusion* czy *mess*, jako coś, co jest *turbid* czy *blurred*? Na razie nie wiem, nie potrafię tego rozstrzygnąć. Zrobię to później. Tymczasem wszystkie możliwe rozwiązania czekają w nawiasach. Czy „płomienna" (w „płomienna Antygona") powinna być przetłumaczona jako *fiery* czy *passionate*? Nie mam jeszcze pojęcia. Notuję wszelkie alternatywy. Co ze słowem „pracowite"? Czy mam powiedzieć *diligent* czy *laborious*? Kiedy tłumaczyłam *Heban* (który ukazał się w języku angielskim pod tytułem *The Shadow of the Sun*, czyli *Cień słońca*), pamiętam, jak się zadręczałam, czy słowo „szałas" oddać przez *shanty, hut, shed* czy *lean-to*. Czy „miażdżyć" powinnam przełożyć jako *crush, smash, grind* czy *pulverize*. „Bujne bugenwille" – czy mam określić bugenwillę jako coś, co jest *riotous, lush, dense* czy *exuberant*? Takie moje roztrząsania także znajdują się w pierwszym maszynopisie tamtego przekładu.

Dotyczy to nie tylko zamienników i synonimów. Są tam również moje notatki na temat możliwych powtórzeń i nadmiaru; czasem cały zwrot po polsku, z którym nie potrafię jeszcze sobie poradzić, lub cała struktura składniowa i gramatyczna, która nie jest ani polska, ani angielska. Krótko mówiąc, jest to nieokreślona masa, obfitość nawiasowych możliwości, rodzaj werbalnej pierwotnej papki, z której – „pisząc" ją, miałam nadzieję – wyłoni się w końcu coś spójnego i foremnego. Zawsze przechodzą mnie ciarki, gdy wyobrażam sobie, co pomyśleliby Ryszard oraz amerykański czy angielski redaktor, gdyby kiedyś zechcieli przyjrzeć się moim postępom w pracy. Bo jedyna dyscyplina, jaką narzuciłam sobie w owej pierwszej wersji, polega na tym, że każde polskie słowo i wyrażenie musiały być wyjaśnione, a ich możliwe angielskie interpretacje rozważone i skrupulatnie odnotowane.

Przez lata spotykałam się z Ryszardem – na lunchu albo na kolacji, czasami w Nowym Jorku, raz czy dwa w Warszawie. Czasem byłam w trakcie tłumaczenia, innym zaś razem właśnie je skończyłam albo miałam zacząć. Nasze rozmowy były przyjazne i uprzejme, nawet wtedy gdy się martwił, że ów proces trwa u mnie tak długo. Gdybyś tylko wiedział, Rysiu, myślałam sobie, co się naprawdę dzieje! Przecież ja wywracam twoje książki na lewą stronę! Przestawiam i łączę na nowo ich językowe składniki: mnożę je, wywołuję werbalne miniwybuchy w każdym akapicie, w każdym wersie. Rozpruwam wszystkie szwy. Każda decyzja, jaką podjąłeś w trakcie pisania – a dobrze wiem, jak one były niełatwe, te niezliczone wybory i zawiłe przechodzenie od myśli do słowa pisanego – zostają przeze mnie unieważnione, starte, wymazane.

W *Hebanie* Kapuściński opisuje scenę w zagubionej afrykańskiej wiosce gdzieś w głębokim buszu w Ugandzie (pozwolę sobie dodać, że jest on jednym z rzadko spotykanych reporterów, którzy tak naprawdę rozumieją, że pobyt w zapadłej dziurze może być równie odkrywczy i istotny jak branie udziału w konferencji naukowej w stolicy). Wieśniak o pięknym imieniu Apollo stoi przed chatą wczesnym rankiem i pieczołowicie prasuje swoją zapewne jedyną koszulę. *Koszula ta* – pisze Ryszard, oddając wyraziście i konkretnie to, co dla nas jest czasem prawie niewyobrażalną biedą Afryki – *musiała mieć tyle razy łatane dziury, tyle na niej naszytych jest skrawków i ścinków najprzeróżniejszej materii, barwy i tekstury, że już nie sposób dojść, jakiego koloru i z jakiego płótna zrobiona była owa pierwotna, wstępna prakoszula, która dała początek długiemu procesowi przeróbek i przekształceń, jakich efekt leży teraz przed Apollem na jego desce do prasowania.* Prócz tego, że ten fragment jest jednym z niezliczonych podobnych w dziele Kapuścińskiego, które szczególnie podziwiam – sceny, w których cały wszechświat znaczeń zostaje przekazany w pięknej miniaturze, jak „świat w ziarnku piasku", o czym pisał angielski poeta Robert Blake – jest on dla mnie również trafną metaforą pracy tłumacza. Tyle że nasza misja polega na upewnieniu się, czy po naszych koniecznych przemianach ów oryginalny i pierwotny tekst pozostaje wyraźnie widoczny i żywy pod zasłoną nowych dźwięków i nakazów obcego języka.

Ale wrócimy do tego później. Na razie przede mną daleka droga, zanim wylądujemy bezpiecznie z powrotem na ziemi. A teraz muszę się od niej jeszcze bardziej oddalić.

Po nakreśleniu z grubsza i na brudno owych czystych, wygładzonych zdań oryginału odsuwam się od niego jeszcze bardziej. Odkładam na bok polski tekst, zdecydowanie, raz na zawsze, by nigdy już nań nie spojrzeć. Prom kosmiczny (podejmując moją analogię z międzygwiezdną podróżą) wystartował i nie ma już powrotu. Znajdujemy się daleko od Ziemi i lecimy coraz dalej. Pozbywam się także mojej „wyrzutni" – sfatygowanego słownika polsko-angielskiego, niezbędnej podpory na pierwszym etapie pracy, pomocnej nie tylko w zrozumieniu polskiego, który jest moim językiem ojczystym, ale w uzyskaniu szybkiego dostępu do angielskich odpowiedników słów, mego pirackiego leksykonu. Do niego również nie zamierzam już wracać.

A nie jest to z mojej strony brak szacunku do polskiego tekstu, lecz konieczność. Bo aby przekład się udał, należy w pewnym sensie pozostawić za sobą język oryginału i sprawić, by słowa i znaczenia zadomowiły się w obcym werbalnym wszechświecie w sposób równie łatwy i naturalny jak we własnym – a by tak się stało, ten ostatni musi, w pewnym sensie, zostać odrzucony. Bo inaczej nowy język nigdy w pełni i z powodzeniem nie obejmie prowadzenia. I dlatego rytm i klimat polskiego tekstu pozostają jedynie wspomnieniem – aczkolwiek silnym i nieodpartym – a ja skupiam się odtąd wyłącznie na angielszczyźnie.

W tym momencie mój lot już trwa i muszę w jakiś sposób sprowadzić statek na Ziemię...

Pewnego majowego przedpołudnia w Nowym Jorku jem śniadanie z Ryszardem. Przyjechał na doroczny zjazd Pen Clubu. „Jak się posuwa przekład Herodota?" – pyta. „Całkiem nieźle – odpowiadam. I zachwycam się w duchu, że on ma naprawdę anielską cierpliwość; niesłychana cecha u człowieka o tak wielkiej międzynarodowej sławie. – Powoli, ale jestem już w połowie drogi".

Mam na myśli to, że właśnie zaczynam od początku, zabierając się do owego nadprzeciętnych rozmiarów potwora – pierwszego szkicu – i że siadam do prawdziwego pisania. Pociąga to za sobą wciąż nowe poprawki, przerabianie tekstu raz, potem drugi i trzeci – setki godzin przed monitorem komputera, moim pulpitem sterowniczym. Jest w tym osamotnienie, jest obsesja – a zarazem głęboka satysfakcja. Jak Adam przed wygnaniem z raju, nadaję teraz nazwy wszystkiemu w Edenie. Czasami wybór zależy od odcieni znaczeniowych; innym razem jest to sprawa czysto słuchowa. A zresztą z każdą korektą dźwięk i rytm języka angielskiego stają się czynnikami coraz bardziej decydującymi. Czy akurat ta wersja słowa zabrzmi dobrze w zestawieniu ze słowem czy słowami następnymi czy poprzednimi? Postanawiam oddać „mętniactwo" przez *murkiness*, „płomienną" przez *incandescent*. Żadne z tych rozwiązań nie znajdowało się w moim nawiasowym spisie możliwości. Ostatnio wydały mi się po prostu trafnym wyborem. „Pracowite" pojawia się ostatecznie jako *diligent* – to miałam zanotowane od samego początku. Setki, nie, tysiące drobnych decyzji, każda z nich może sama w sobie mało znacząca, a w sumie determinuje całą lingwistyczną fakturę książki. To satysfakcja widzieć, jak dzięki niezliczonym małym decyzjom, poprawkom, dopasowaniom i przestawieniom, poruszeniom drążków steru w lewo lub w prawo, w górę lub w dół angielski ekwiwalent ładnego bądź poruszającego polskiego fragmentu nabiera właściwego kształtu. I zaczynam widzieć, choć jeszcze w wielkim oddaleniu, mój punkt lądowania.

Na innym poziomie jednak w tym przesiewaniu i ważeniu słów nie jest się osamotnionym. Wbrew pozorom, tłumaczenie to nie solipsystyczny proces, lecz oparty na głębokich powiązaniach. Tłumaczyć – oznacza nawiązać bliskie stosunki z oryginalnym tekstem i jego autorem. Tłumacz odpowiada – podobnie jak pisarz – przed samym sobą. Chce bowiem, by książkę dobrze się czytało; będzie na niej i jego nazwisko. Istotniejsze jednak i bardziej skomplikowane jest to, że tłumacz odpowiada przed autorem. A każda decyzja, którą podejmuje, musi mieć tylko jedno na celu – zaprezentowanie tak przekonująco, jak to tylko możliwe, wyrażanych treści i stylu innego człowieka, naśladowanie, jak pisał Nabokov, „jego zachowania i mowy, jego obyczajów i sposobu myślenia". Statek kosmiczny musi bowiem być doprowadzony do swego miejsca przeznaczenia. Ten tekst trzeba zakotwiczyć.

Mijają miesiące. Zbliża się czas lądowania. Może my, tłumacze, nie jesteśmy jednak astronautami, lecz raczej kimś takim jak ów Ateńczyk Sofanes, o którym Herodot pisze, że w czasie bitwy *„nosił on przyczepioną u pasa do pancerza na żelaznym łańcuchu żelazną kotwicę, którą, ilekroć zbliżył się do nieprzyjaciół, wbijał w ziemię, aby ci, nacierając na niego, nie mogli go z miejsca ruszyć". Jakaż to wielka metafora* – komentuje Kapuściński w *Podróżach z Herodo-*

tem – *jakże potrzebne jest nam nie koło ratunkowe, pozwalające biernie unosić się na powierzchni, ale mocna kotwica, którą człowiek mógłby się przykuć do swojego dzieła.*

Maszynopis został skrócony do bardziej rozsądnej liczby stron, synonimy w nawiasach wybrane i wykreślone, nieudane konstrukcje usunięte. Teraz inni mogą ujrzeć książkę w języku angielskim. Wysyłam ją Ryszardowi i amerykańskim redaktorom. Lądowanie. (A może jednak byłam po prostu przez cały czas zakotwiczona, lecz na bardzo długim łańcuchu, do dzieła Ryszarda. Cóż za ulga...) Wspomnienia z mojej lingwistycznej podróży wciąż krążą mi po głowie – echa słów, zwrotów, zdań. Może powinnam to była wyrazić w taki sposób... lub jeszcze inny... Ale już po wszystkim. Kiedy wychodzi ukończona książka, gdy zaczynają się ukazywać pierwsze recenzje, potrafię sobie niemal wyobrazić przez krótką, pełną blasku chwilę, że to ja napisałam *Imperium*, *Heban* czy *Podróże z Herodotem*. W końcu my, tłumacze, przywłaszczamy sobie cudze dzieła. Wiem jednak, że to tylko złudzenie. Jeden z amerykańskich recenzentów w natchnieniu nazwał Ryszarda Kapuścińskiego „dziennikarzem transcendentalnym" (*transcendental journalist*). Jest gwiazdą. Ja zaś podczas wyprawy zdołałam tylko zebrać garstkę gwiezdnego pyłu. Dziękuję ci, Ryszardzie, za ten przywilej. Za tę podróż.

*przełożyła Ewa Horodyska*

fot. Brigitte Lacombe

**Klara Główczewska**, rocznik 1955, mieszka w Nowym Jorku. Zanim jeszcze ukończyła trzynaście lat, posługiwała się w szkole trzema językami: polskim w Warszawie, angielskim w Północnej Karolinie i francuskim w Kairze. Nic zatem dziwnego, że praca translatorska stała się dla niej tak zwanym zajęciem ubocznym. Studiowała literaturę angielską na Uniwersytecie Yale, gdzie uzyskała dyplom z wyróżnieniem (*Magna Cum Laude*). Mając zamiar studiować dalej – prawo międzynarodowe na Uniwersytecie Georgetown – znalazła dorywczą pracę na kilka miesięcy jako asystentka w nowojorskim wydawnictwie Random House – i już została w świecie wydawniczym. Po Random House (1977–1983) pracowała jako redaktor w „New York Review of Books" (1984–1987), czołowym amerykańskim czasopiśmie zajmującym się sztuką, polityką i literaturą; w „Conde Nast Traveler" (1987–1991), „Vanity Fair" (1991–1993) oraz przez rok w „The New Yorker". Od 2005 r. jest redaktor naczelną „Conde Nast Traveler", miesięcznika o podróżach wydawanego w nakładzie prawie miliona egzemplarzy. Przełożyła na język angielski *Początek* Andrzeja Szczypiorskiego, a od 1993 r. tłumaczy książki Ryszarda Kapuścińskiego: *Imperium* (1994), *Heban* (2001) i *Podróże z Herodotem* (zapowiadane na wiosnę/lato 2007).

BŁAGOWESTA LINGORSKA

## NIGDY NIESPISANE TARAPATY BUŁGARSKIEGO TŁUMACZA

W szystko zaczęło się od spotkania w Ośrodku Kultury Polskiej w Sofii w lecie 1978 roku. Ale najpierw – mała dygresja.

Od kilkunastu lat pracowałam, raczej wegetowałam, na Uniwersytecie Sofijskim. Miałam za sobą studia polonistyczne, nieukończone studia doktoranckie, trzyletni lektorat języka bułgarskiego w Krakowie w ciekawym dla Polski okresie 1967–1970. Prowadziłam zajęcia praktyczne z języka polskiego, przeważnie z tzw. przekładówki. Miałam rodzinę: dwójkę dzieci, wiecznie nieobecnego męża, działacza sportowego, i chorą na starczą depresję matkę. Praca mnie nie satysfakcjonowała, chciałam być tłumaczem literatury polskiej, ale nie bardzo wiedziałam, jak to swoje pragnienie zrealizować. W tamtych czasach, wobec istnienia tylko kilku państwowych oficyn i polityki ograniczonego i kontrolowanego wydawania literatury obcej, panował na ogół monopol kilku tłumaczy z danego języka – dotyczyło to szczególnie literatur słowiańskich. Nie będę się nad tym rozwodzić, bo wtedy sytuacja w krajach socjalistycznych była mniej więcej jednakowa. Po kilku nieśmiałych próbach wejścia do gildii tłumaczy dałam za wygraną i dalej zajmowałam się tłumaczeniami użytkowymi, nie przestając jednak marzyć o czymś naprawdę wartościowym.

*Plan książki, która mogłaby się zacząć w tym miejscu*

1. Upalne lato 1978 roku. Pewnego dnia dzwonią do mnie z Ośrodka Polskiego: zapraszają na spotkanie z wybitnym (na miarę tamtych czasów) polskim pisarzem Wojciechem Żukrowskim, który właśnie gości w Bułgarii z delegacją polskich parlamentarzystów w ramach wymiany z bułgarskimi kolegami.

2. Ludzi – mało; prawie nikogo spośród „lwów". Żukrowski opowiada o najciekawszych wydarzeniach literackich roku. Na pierwszym miejscu wymienia dwie książki: *Wojnę futbolową* i *Cesarza*. Ich autorem jest nieznany w Bułgarii, ale cieszący się już znaczną popularnością w Polsce Ryszard Kapuściński – z wykształcenia historyk, a z zawodu dziennikarz, reporter specjalizujący się w problemach krajów Trzeciego Świata. Prelegent mówił ze szczerym zachwytem o talencie i niepowtarzalnym stylu autora i o wyjątkowych walorach artystycznych jego prozy. Istne peany! Żeby wielki pisarz mówił w ten sposób o swoim młodszym koledze? Coś w tym musiało być. I wtedy mój wewnętrzny głos mi powiedział: „Ty będziesz tłumaczyła tego autora!".

3. Wychodzę ze spotkania podniesiona na duchu i zdecydowana wreszcie zacząć coś robić. Już przyświecał mi szlachetny, ale trudno osiągalny cel. Przede wszystkim muszę zdobyć wspomniane książki i je przeczytać. W biblio-

tece Ośrodka ich nie było. Moje kontakty z Polską wtedy z różnych przyczyn nie były tak intensywne i nie miałam akurat nikogo, kogo mogłabym poprosić o ich przesłanie. Mój zapał był jednak studzony przez lęk: nie należy za bardzo szumieć i ujawniać swoich zamiarów: a nuż ktoś z wielkich tłumaczy skradnie pomysł...

4. Listopad 1978 roku. Pewnego dnia, w przerwie między zajęciami, sięgam po nowy numer tygodnika „Kultura". Wcześniej jakoś się nim nie interesowałam. Moją uwagę przyciągnął obszerny, na całą stronę, wywiad Teresy Krzemień *W drodze* (przeprowadzony w dniu 46. urodzin Kapuścińskiego, ukazał się osiem miesięcy później). Było również zdjęcie, z którego patrzyły na mnie przenikliwe oczy mężczyzny o nietypowej dla Polaka, uśmiechniętej, twarzy. Zaczęłam czytać – zarówno fakty tej opowieści, jak i postawa dziennikarza fascynowały i zdumiewały na tle tego, co wtedy działo się, mówiło i pisało w naszym obozie, a w moim kraju szczególnie.

5. Chodzę podekscytowana i nie mogę myśleć o niczym innym. Przeczytałam wywiad, tłumacząc go na żywo moim domownikom oraz kilku przyjaciołom. Potem usiadłam i przetłumaczyłam tekst, robiąc kilka kopii, które od razu puściłam w obieg wśród znajomych. Reakcja wszystkich była podobna do mojej.

6. Zaczynam wyłapywać i regularnie przeglądać kolejne numery „Kultury". A nuż pojawi się kolejna wiadomość lub tekst. Szukam nawet najmniejszej wzmianki o R.K. w innych gazetach i czasopismach, których wtedy przychodziło mnóstwo.

7. Czas płynie. Nic. I nagle pod koniec lipca 1979 roku pojawia się tekst zatytułowany *Katharsis*. O rewolu-

cji w Iranie. W następnym numerze tygodnika – nowa niespodzianka: kolegium redakcyjne ogłasza, że R.K. otrzymuje Nagrodę „Kultury" za całokształt twórczości!

8. Co tydzień kolejny odcinek *Katharsis*. Odbywam podróż w nieznane. Łapczywie pochłaniam każde słowo. Wszystko jest ważne i znaczące, bo w naszej prasie na ten temat panuje kompletna cisza. Ma ona swoje przyczyny: władze komunistyczne były w dobrej komitywie ze zdetronizowanym teraz szachem – wymiany wizyt z wielką pompą, istne królewskie przyjęcia, dobrze zapowiadająca się współpraca między obu krajami. I nagle wszystko się wali... Więc te informacje z pierwszej ręki są bardzo istotne.

9. Na początku listopada druk *Katharsis* ustaje. Bez żadnych wyjaśnień. Ostatni, październikowy odcinek kończył się jak zwykle zapowiedzią „cdn.". To było dziwne i trochę niepokojące. Dlaczego tak się stało, dowiem się parę lat później – od samego Autora.

10. Tak zaczęła się dla mnie trwająca do dziś podróż z Ryszardem Kapuścińskim, która – mogę to zdecydowanie stwierdzić teraz, z dystansu lat – ukierunkowała całe moje dalsze życie zawodowe i ukształtowała dojrzałą osobowość.

*Ciąg dalszy planu książki, która mogłaby zacząć się (itd.)*

11. Był już rok 1980. Kolejne upalne lato. Pewnego dnia – nagły przebłysk: już wiem, co mam zrobić! Przyszło mi do głowy, że Iwan Pejkowski, mój i męża ziomek, jest dyrektorem dużego wydawnictwa Oteczestwen front (Front ojczyźniany). Znaliśmy się dobrze, ale widywali rzadko, ra-

czej przypadkowo. Kilkakrotnie nawet prosił mnie o pomoc w znalezieniu tłumaczy z języka polskiego. Nigdy jednak nie zdradziłam się, że też chciałabym coś przetłumaczyć, a on widocznie sądził, że jestem pochłonięta nauką... Moja nieśmiałość czy pycha? Nie wiem. Poradziłam się męża, powiedziałam, że postanowiłam spotkać się z I.P. Tak się złożyło, że wkrótce po tej rozmowie mąż pojechał na parę dni do naszego rodzinnego miasta. Kiedy wrócił, jeszcze w drzwiach powiedział: „Wiesz, jechałem w autobusie razem z Pejkowskim. Powiedziałem mu, że masz dla niego pewną propozycję, a on odpowiedział, że też ma. Zadzwoń i umów się na spotkanie". Zadzwoniłam. Sekretarka wyznaczyła mi dzień i godzinę.

12. Umówiony dzień. Jeszcze dziś widzę to spotkanie. Wchodzę do gabinetu Pana Dyrektora. Długi stół, w głębi biurko. I.P. wstaje, pokazując mi z daleka jakąś książkę, i mówi: – Chcę wydać tego autora, ale inną jego książkę. Podchodzę i nie wierzę własnym oczom: Ryszard Kapuściński. *Jeszcze dzień życia*. (Tę książkę dostałam potem w prezencie. Była to pierwsza książka Kapuścińskiego, którą przeczytałam w całości). A Panu Dyrektorowi chodziło o *Wojnę futbolową*...

13. Kości zostały rzucone. Miałam jak najszybciej znaleźć tę książkę. Gdyby to się udało, mogłabym szybko podpisać umowę, bo I.P. już się szykował na wyjazd na placówkę zagraniczną. W razie czego miałam się skontaktować i załatwić wszystko z redaktorem naczelnym, który podobno został poinformowany o sprawie. Szukanie potrwało. Zaczął się sierpień. Polski Sierpień. W Bułgarii wiadomości o wydarzeniach w Gdańsku były bardzo enigmatyczne, ale w moim środowisku wiedzieliśmy, co się dzieje. Wresz-

cie przyjaciel Józef Dynak, polski lektor, pożyczył *Wojnę*...
od znajomych. Przeczytałam jednym tchem. Byłam zafascynowana. Szybko przygotowałam stosowne dokumenty
i, udając jakby nigdy nic, poszłam do redaktora naczelnego, pełniącego obowiązki dyrektora. Był poinformowany
o książce, bo przyjął mnie uprzejmie, ale chłodno. Odmówił przyjęcia zgłoszenia pod pretekstem, że zbliża się koniec roku, a bez nowego dyrektora plan wydawniczy na
następny rok nie zostanie zatwierdzony. Niech się zgło-
szę na początku nowego roku. Tak zaczęła się cicha wojna
o bułgarskie wydanie *Wojny futbolowej*, która trwała dobrych dwadzieścia parę lat...

*Cd. planu nigdy nienapisanej książki,*
*która mogłaby (itd.)*

14. Pod koniec roku nadarza się jednak wspaniała okazja: na imprezie w Ośrodku Polskim spotykam koleżankę
Violettę Micewą. Pracowała w Bułgarskiej Agencji Prasowej (BTA) jako redaktor naczelna jednego z wydawnictw Agencji, tygodnika „LIK", publikującego aktualno-
ści ze świata w dziedzinie literatury, kultury i sztuki. Miała problem: pilnie poszukuje tłumacza, który przełożyłby
fragment najnowszej książki Andrzeja Kuśniewicza (*Stan
nieważkości*) jako dodatek do wywiadu z autorem. Nikt
ze znanych tłumaczy podobno nie chce się tego podjąć,
bo z góry wiadomo, że przekład całej książki nie wcho-
dzi w rachubę. Tym razem postanowiłam skorzystać z sytuacji. Powiedziałam, że ja ten przekład zrobię niezależnie
od trudności tekstu i krótkiego czasu, ale pod jednym warunkiem: późniejsze opublikowanie podobnego fragmen-

tu z *Wojny futbolowej* wraz z wywiadem T. Krzemień. V.M. się zgodziła.

15. Koniec stycznia 1981. Tekst Kuśniewicza wychodzi. Miałam w ten sposób pierwszą oficjalną publikację! Ośmielona pomyślnym przebiegiem sprawy, redaguję przetłumaczony wcześniej tekst wywiadu i dodaję świeżo przetłumaczony fragment z *Wojny: Płonące bariery* wraz z częścią „planu nigdy nienapisanej książki" (słynny traktat o biurku). Oddałam tekst w terminie i zaczęłam czekać w napięciu. Licho wie, co mogłoby wyskoczyć w ostatniej chwili, bo w zasadzie unikano już publikacji tekstów współczesnych polskich autorów. I wywołałam wilka z lasu: telefon od V.M. – uprzedza lojalnie, że są możliwe cięcia niebezpiecznych miejsc.

16. Piątek 6 marca 1981 („LIK" wychodził po południu). Nie zapomnę nigdy tego dnia. Ledwo doczekałam końca zajęć i pobiegłam do kiosku. Drżącymi rękami kartkuję strony – jest! Szukam niebezpiecznego miejsca i nie mogę uwierzyć własnym oczom: nie ma cięć. Puścili! Moja radość nie miała granic i chyba zachowywałam się nieodpowiednio jak na mój wiek i miejsce, w którym się znajdowałam, bo przechodnie patrzyli na mnie ze zdumieniem. Ale dla mnie to nie miało żadnego znaczenia.

17. Kupiłam jeszcze kilka egzemplarzy i szybko wróciłam do domu. Zadzwoniłam najpierw do Józka Dynaka ze wspaniałą wiadomością i poprosiłam go znowu o pomoc: postanowiłam napisać do Autora i wysłać Mu tekst przekładu, a nie miałam żadnych jego namiarów. Intuicja podpowiadała mi, że nie powinnam szukać pomocy Ambasady i Ośrodka Polskiego. Józek powiedział tylko, żebym się nie martwiła i jak najszybciej dostarczyła mu tę przesyłkę.

18. Nie zadawałam więcej pytań. Napisałam obszerny list i poprosiłam R.K. o zgodę na przekład całej książki, nie ukrywając, że nie mam żadnego zawodowego doświadczenia i że aktualna sytuacja w Polsce nie sprzyja realizacji tego przedsięwzięcia w Bułgarii. Przekazałam przesyłkę J.D. i zaczęłam czekać. Byłam pewna, że dostanę odpowiedź.

19. Wkrótce nadeszła: nieformalny, niezwykle serdeczny list i broszurka Andrzeja W. Pawluczuka w języku angielskim o życiu i twórczości autora. Tak nawiązałam kontakt z Kapuścińskim i był to kolejny krok w realizacji moich planów. W czerwcu miałam zaplanowany służbowy wyjazd do Polski. W rozmowie telefonicznej umówiliśmy się na spotkanie, ale to już był napięty okres oczekiwania inwazji wojsk radzieckich na Polskę. W Bułgarii, wobec kompletnego braku informacji na ten temat, krążyły różne pogłoski. I chociaż nie było formalnego zakazu wyjazdów do Polski, postanowiłam nie wystawiać rodziny na próbę i zrezygnowałam z podróży.

20. W sierpniu – niespodzianka. W „Kulturze" pojawia się pierwszy z trzech odcinków nowego tekstu Kapuścińskiego *Martwy płomień*. Wygląda to na ciąg dalszy przerwanego kiedyś *Katharsis*, chociaż kompozycyjnie i stylistycznie odbiega od tamtych fragmentów. Bardziej kojarzy mi się z obecną sytuacją w Polsce, która radykalnie zmienia się na gorsze. Szybko tłumaczę każdy kolejny odcinek i rozdaję znajomym do przeczytania i przekazania dalej. Powstaje mój prywatny drugi obieg. Działa szybko i sprawnie – ludzie są spragnieni zarówno wiadomości, jak i dobrej literatury. To doświadczenie okaże się bardzo pożyteczne za rok i ośmieli mnie do dalszej pra-

cy niezależnej od koniunktury i widzimisię czynników oficjalnych.

21. Październik 1981. Sytuacja coraz bardziej zagmatwana, ja jednak czuję, że muszę jechać. Dowiaduję się z wiarygodnych źródeł, że wyjazdy służbowe w ramach umowy międzypaństwowej są już wstrzymane. Ale moja delegacja miała być z innej puli – w ramach umowy między Uniwersytetem Sofijskim a Uniwersytetem Jagiellońskim – i w podobnych wypadkach nasze ministerstwo tylko formalnie potwierdzało wyjazd.

22. Po jedenastu latach nieobecności w Polsce wyjeżdżam obładowana ponad wszelką miarę. Wiem, że tam jest źle pod każdym względem, a ja mam tylu przyjaciół i znajomych w Warszawie i w Krakowie (to mój punkt docelowy). Aby nie zwiększać i tak dużej nadwagi bagażu, wnoszę do samolotu jako bagaż podręczny potwornie ciężką torbę. Ledwo wdrapuję się po schodkach... Tak zaczyna się podróż, której dalszego przebiegu nigdy nie mogłabym przewidzieć.

23. Profesor Przemysław Zwoliński, serdeczny przyjaciel, czeka na mnie na Okęciu. Mam się u niego zatrzymać przed wyjazdem do Krakowa. Przekazuje mi wiadomość od R.K., że wraca z Gdańska (tego dnia kończył się II Zjazd „Solidarności") i że wieczorem spotkamy się u Profesora.

24. Pierwsze spotkanie na żywo z moim (nie wątpiłam w to) Autorem przekracza nawet najśmielsze oczekiwania: szczerość i bezpośredniość w obcowaniu, jak gdybyśmy znali się od lat. Z pierwszej ręki dowiaduję się wielu ciekawych szczegółów ze Zjazdu w Gdańsku. Umawiamy się na dłuższe i bardziej rzeczowe spotkanie po moim

powrocie z Krakowa. Wtedy omówimy szczegóły przyszłej współpracy.

25. Z rana Profesor odwozi mnie na lotnisko. Kapuściński przyjechał również. Oddaję cały bagaż, bo na pokład nie wolno wnieść niczego poza biletem i dokumentem tożsamości. Żegnamy się w pośpiechu. Komandosi z kałasznikowami zamiast stewardes witają pasażerów i wskazują nam wybrane przez siebie miejsca. Lot przebiega w kompletnej ciszy. Jednak mimo wszystko jestem szczęśliwa: po tylu latach znowu w Polsce, niedługo zobaczę kolegów i przyjaciół, swoją polską rodzinę, w której przez trzy lata byłam trzecim dzieckiem, nie licząc psa...

26. Na lotnisku wita mnie kolega Jerzy Rusek i odwozi do hotelu Cracovia. Ustalamy program mojego tygodniowego pobytu i żegnamy się do następnego dnia, a ja biegnę do polskiej rodzinki. Nie widzieliśmy się jedenaście lat, a odczucie takie, jak gdybyśmy się nigdy nie rozstawali, chociaż tyle u mnie i u nich się pozmieniało. Stamtąd zadzwoniłam do Kapuścińskiego, uspokoiłam go, że wszystko jest OK i że będziemy w kontakcie.

27. W ciągu następnych trzech dni wpadam w istny kołowrotek: spotkania na Uniwersytecie i z przyjaciółmi, obiady, kolacje, seans *Człowieka z żelaza*, spacer na kopiec Kościuszki z Marysią, moją byłą gospodynią, i jej wnuczką. W drodze powrotnej zaczynam od czasu do czasu odczuwać podejrzany ból w pachwinie. Nie zwracam na to zbytniej uwagi, ale następnego dnia sytuacja się pogarsza z godziny na godzinę i wieczorem już nie mogę wstać z łóżka. Ledwo udaje mi się zadzwonić do Marysi, kolegów i Kapuścińskiego. Wszyscy przerażeni. Wołają lekarza. Pani doktor robi mi zastrzyk znieczulający i mówi: „Bła-

gam panią, niech pani wytrzyma do rana, bo wtedy zaczyna się ostry dyżur w Szpitalu Wojskowym, a oni wciąż jeszcze mają leki i dobrze karmią". W krakowskich sklepach nie ma już nic.

28. Następnego dnia zabiera mnie pogotowie. Marysia towarzyszy mi do szpitala. Prawie nieprzytomna ledwo słyszę głosy: „Jak się z nią porozumiemy? Czy ona mówi po polsku?". Od razu zaczynają się badania, które nie wykazują nic konkretnego. Grozi mi gips do piersi i powrót na noszach do Bułgarii. Dzwonią z Ambasady – już się dowiedzieli i deklarują pomoc. Po pierwszym szoku i zamieszaniu wśród lekarzy (cudzoziemka w szpitalu, a tu nie wiadomo, co następny dzień przyniesie) wszystko się stopniowo uspokaja. Robią punkcję i wtedy zapada decyzja: noga na wyciąg i leczenie antybiotykami. Codziennie odwiedzają mnie przyjaciele, opowiadają, co się dzieje, przynoszą prasę.

29. A sytuacja jest naprawdę groźna. W Warszawie trwało plenum KC. Usunięto Kanię, zastąpił go Jaruzelski. Ludzie już przeczuwali, że to wszystko źle się skończy, ale nie panikowali. Któregoś dnia Marysia przynosi mi wiadomość: dzwonił Kapuściński, że przyjeżdża do Krakowa i mnie odwiedzi. Następnego dnia w czasie obchodu ordynator oznajmia wszem i wobec: „Czy pani wie, że dzisiaj odwiedzi panią nasz słynny pisarz Ryszard Kapuściński?". Czuję się głupio, bo z jednej strony, po raz pierwszy mam okazję przekonać się osobiście, jaką wielką i niekłamaną popularnością cieszy się „mój" Autor, a z drugiej – zupełnie niezasłużenie korzystam z tej popularności, bo faktycznie jeszcze nic dla niego nie zrobiłam.

30. Kapuściński przychodzi o umówionej godzinie. Przynosi mi nowe wydanie *Wojny futbolowej*. Mam już

własny egzemplarz! Po wizycie salowe jedna po drugiej wypytują: „Czy pan Kapuściński był zadowolony z tego, co widział w naszym szpitalu?".

31. Spędziłam tam dziesięć dni. Po wyjściu ze szpitala jeszcze na kilka dni zostałam w Krakowie. W międzyczasie dotarła do mnie smutna wiadomość: profesor Zwoliński dostał wylewu i leży w szpitalu (lekarze nie dają żadnej nadziei). Dzwoni Kapuściński z wiadomością, że właśnie został wybrany na wiceprzewodniczącego Komitetu „Polska 2000". Nawiązując do fragmentów z *Wojny futbolowej*, żartobliwie zaczepiam go, że zdradza samego siebie, przyjmując to „kierownicze stanowisko". „To coś zupełnie innego – protestuje. – Można wiele zrobić, szczególnie w obecnej sytuacji". Późniejszy przebieg wydarzeń przekreślił te szlachetne zamiary polskich intelektualistów.

32. Powrót do Warszawy. W Ambasadzie Bułgarii załatwiam formalności związane z przymusowym przedłużeniem pobytu. Odwiedzam Profesora w szpitalu. Czuję, że widzę Go po raz ostatni. Spotykam się ze znajomymi, przy okazji poznaję przemiłą doktor Alicję Kapuścińską. Ryszard utonął w wirze wydarzeń i widzimy się dopiero na lotnisku parę minut przed moim odlotem. Atmosfera robi się coraz bardziej napięta, odczuwam to na każdym kroku, w rozmowach, spojrzeniach ludzi.

33. Wracam do Sofii na początku listopada, ale nie daję za wygraną – miałam jeszcze do wykorzystania miesięczny staż w Polsce, tym razem w ramach umowy międzypaństwowej, więc idę do Ministerstwa Oświaty, żeby załatwić ten wyjazd. Przyjmuje mnie starszy pan i próbuje zniechęcić na różne sposoby: że umrę z głodu, że nie

będę miała gdzie mieszkać, itd., itp. (Wiedział, że dopiero co wróciłam, i dziwił się, dlaczego mimo wszystko znowu chcę tam jechać). Kiedy wyczerpał wszystkie możliwe środki perswazji, mówi poufnie: „Niech pani sobie wyobrazi, że gdy wylatuje do Warszawy, są u władzy jedni towarzysze, a kiedy ląduje – już są inni. No i co wtedy?". Zrozumiałam, że zapadła cicha decyzja odwołania wszystkich wyjazdów służbowych do Polski.

34. Parę razy rozmawiam z Kapuścińskim przez telefon. Na początku grudnia dowiaduję się od pani Alicji, że mąż jest za granicą, wraca mniej więcej w połowie miesiąca, a ona po wypadku samochodowym leży w kołnierzu ortopedycznym. Ta rozmowa była moim ostatnim bezpośrednim kontaktem z Polską.

35. W późnych godzinach wieczornych i nocą można złapać Warszawę na długich falach. Zaczynam regularnie słuchać radia, wyłapując każdą znaczącą informację. Do momentu kiedy w nocy z 12 na 13 grudnia gen. Jaruzelski obwieści wprowadzenie stanu wojennego.

*Czas najwyższy, abym zaczęła pisać
następną nigdy nienapisaną książkę*

36. Informacje w bułgarskich mediach są skąpe i enigmatyczne. Z Kapuścińskim i innymi znajomymi kontaktuję się okrężną drogą, najczęściej dzięki polskim kolegom wracającym do kraju. W ten sposób składam życzenia i wysyłam Ryszardowi prezent z okazji 50. urodzin.

37. Znajduję lek na niepokój i chandrę: zaczęłam – dla pokrzepienia serca i duszy – tłumaczyć *Wojnę futbolową*. Wiedziałam, że szanse na wydanie są żadne, ale kierowało

mną głębokie wewnętrzne przekonanie, że mój wysiłek nie pójdzie na marne. Poświęcałam temu każdą wolną chwilę. Siedziałam po nocach, wstawałam skoro świt, bo w dzień trzeba było iść na zajęcia ze studentami, opiekować się dziećmi i chorą matką, prowadzić dom. Dziś patrzę na sfatygowany egzemplarz oryginału upstrzony podkreśleniami, uwagami, notatkami i nie mogę uwierzyć, że wtedy udało mi się zrobić ten przekład w ciągu półtora miesiąca! Pod koniec maja tłumaczenie było gotowe i trzy egzemplarze – moje pierwsze „drugoobiegowe" dzieło – zaczęły kursować najpierw w wąskim kręgu przyjaciół, a potem coraz dalej i dalej. Po latach dowiedziałam się, że książka dotarła nawet do znanych dzisiaj osobistości ze świata kultury i polityki.

38. Pod koniec kwietnia udaje mi się wyjechać do Warszawy na konferencję naukową. Na spotkaniu z Kapuścińskim dostaję świeżo wydanego *Szachinszacha*. Wyjaśnia mi, dlaczego nastąpiło dziwne przerwanie druku *Katharsis* (pierwotny tytuł *Szachinszacha*) w „Kulturze": „Wtedy czułem, że temat jest już wyczerpany, że dalej nie mam o czym pisać. Dopiero to, co wydarzyło się w Polsce, zainspirowało powstanie *Martwego płomienia* – trzeciej, ostatniej części książki. I chociaż zdaję sobie sprawę, że między nowym a starym tekstem powstała wyraźna luka kompozycyjna, nie chciałem nic więcej przerabiać".

39. Po powrocie do Sofii zaczynam kombinować, co zrobić z *Szachinszachem*. Wiem już, że najważniejsza rzecz – to mieć tekst gotowy. Jak tylko zaczęły się wakacje, zasiadłam do tłumaczenia. Mam już wypracowany system, więc praca posuwa się szybko. Po dwóch tygodniach książka jest gotowa (*Martwy płomień* przełożyłam wcześ-

niej – od razu po ukazaniu się w „Kulturze") i puszczam ją w obieg.

40. Jeden egzemplarz zabieram nad morze, gdzie jedziemy razem z przyjaciółmi. Pewnego dnia wchodzę do bungalowu i zastaję naszego dziesięcioletniego syna zagłębionego w lekturze. Jak każdego chłopaka w jego wieku, zaciekawił go najpierw fragment opisujący rozległe pola z zasypanymi piaskiem helikopterami, czołgami, armatami. Potem przeczytał wszystko od deski do deski. Parę miesięcy później w telewizyjnych wiadomościach podano informację o posiedzeniu kierownictwa Fundacji im. Ludmiły Żiwkowej, zmarłej przed rokiem córki Todora Żiwkowa. Słysząc to, syn, dotąd pochłonięty swoimi zabawkami, z filuterną iskierką w oku mówi: „Aha, fundacja Pahlavi!".

41. W październiku realizuję służbowy wyjazd do Warszawy. Kapuściński, między jednym a drugim spotkaniem, odebrał mnie z lotniska i zawiózł na Uniwersytet. Mieszkałam (w towarzystwie ZOMO) w Domu Nauczyciela. Sprawdzano wszystkich odwiedzających gości. W dniu, kiedy byłam zaproszona do państwa Kapuścińskich, Mistrz przyszedł po mnie i oczami dał znać, że ktoś stoi na korytarzu. W pełnym milczeniu zjechaliśmy windą. Dopiero w samochodzie powiedział, że wszystkim „towarzyszono" do pokoju znajomej osoby, by mieć pewność, że rzeczywiście idzie się do kogoś... Rozmawialiśmy przeważnie o obecnej sytuacji w kraju, o kłopotach tych, którzy odmówili współpracy z władzą. Dowiedziałam się, że R.K. rozpoczął pracę nad nową książką.

42. Wróciłam do Bułgarii, w której nic się nie działo, nastawiona buntowniczo i pełna chęci do jakiegoś działa-

nia. Pierwsza okazja nadarzyła się niebawem, kiedy przypadkowo spotkałam kolegę ze studiów Danko Dimitrowa. Okazało się, że jest zastępcą redaktora naczelnego wydawnictwa Oteczestwen front, w którym dwa lata temu próbowałam podpisać umowę na przekład *Wojny futbolowej*. Opowiedziałam mu o swoich tarapatach i że przekład jest gotowy. Zgodził się tekst przyjąć i dać do zrecenzowania. Jeśli opinia będzie pozytywna, książka zostanie włączona do katalogu na następny rok z rekomendacją tłumacza i zacznie „zbierać nakład" (była to wtedy procedura obowiązkowa) w księgarniach na terenie całego kraju. Dopiero po tym zostanie oficjalnie przyjęta do druku. I zaczęło się. Recenzja – jak przewidywałam – była negatywna: „książka ciekawa, ale, niestety, beznadziejnie przestarzała". Wszystko mogłoby się na tym skończyć, ale kolega dał przekład jeszcze innemu recenzentowi. Druga opinia była superpozytywna i książka przeszła długą drogę biurokratycznych procedur wydawniczych. Zebrała nawet zawyżony nakład, ale w ostatniej chwili wycofano ją z oficjalnego katalogu na rok 1983 na osobiste życzenie nowego dyrektora wydawnictwa, znanego bułgarskiego pisarza, pod pretekstem, że nie przyniesie zysku...

43. Postanowiłam coś zrobić z *Szachinszachem*. Myślałam: jeżeli książka wyszła oficjalnie, można spróbować opublikować choć małą recenzję. Zadzwoniłam do redakcji „Panoramy" (odpowiednik „Literatury na Świecie") i skontaktowałam się z moim byłym studentem I.G., który pracował tam jako redaktor. Usłyszałam wymijającą odpowiedź, że należałoby uzyskać zgodę naczelnej, że to potrwa, itd. Zrozumiałam, że tą drogą nic nie wskóram, i gorączkowo kombinowałam dalej. W tym czasie pełni-

łam obowiązki sekretarza redakcji w „Lingwistyce Konfrontatywnej". Członkiem kolegium redakcyjnego była profesor Anna Lilowa, szanowany specjalista od teorii przekładu, a prywatnie – żona profesor Aleksandra Lilowa, członka Biura Politycznego BPK. Pani profesor należała również do kolegium redakcyjnego „Panoramy". Skorzystałam z okazji, że miałam jej zanieść jakieś materiały do czytania i kiedy już wychodziłam, zapytałam, czy „Panorama" nie opublikowałaby krótkiego materiału o... itd. A ona na to: „Pani ma przetłumaczoną całą książkę, to niech mi ją pani przyniesie, zobaczymy, co da się zrobić". Zaniosłam maszynopis. Następnego dnia – telefon z „Panoramy", dzwoni I.G.: „Jak to zrobiłaś?! Naczelna powiedziała, że będziemy drukować nie tylko recenzję, lecz i obszerne fragmenty".

44. Prawie jedna trzecia *Szachinszacha* ukazała się w lutym 1983 roku. (Później dowiedziałam się, że w wewnętrznym rankingu pisma tekst uznano za najciekawszą publikację roku). Zaniosłam ten numer „Panoramy" znanemu dziennikarzowi Todorowi Kjuranowowi, który – jak się okazało – był autorem drugiej recenzji *Wojny futbolowej*. Chciałam, choć w ten sposób, odwdzięczyć się za jego uczciwość i odwagę. „Jak ten tekst mógł się ukazać?" – nie mógł uwierzyć. I wyjaśnił mi, że teraz tematyka irańska stanowi tabu dla prasy ze względu na bliskie stosunki między obalonym szachem a naszym pierwszym po Bogu i jego córką oraz na dość intensywne – jeszcze do niedawna – kontakty gospodarcze między obu krajami. A tu pojawia się informacja o wydarzeniach z pierwszej ręki! Dopiero w tej chwili doceniłam wartość gestu profesor Lilowej.

45. A w międzyczasie, na przełomie 1982 i 1983 roku, w trzech kolejnych numerach sportowego tygodnika „Start" drukowano tekst tytułowy *Wojny futbolowej*. Zawdzięczam to ówczesnemu redaktorowi naczelnemu Grigorowi Christo, który jest serdecznym przyjacielem mojego męża. Doskonale zdawał sobie sprawę, że reportaż nie ma nic wspólnego ze sportem. Parę miesięcy później opublikował także *Wielki rzut z Buszu po polsku*. To było już bliżej sportu.

*Ciąg dalszy czasu najwyższego,*
*czyli planu drugiej nigdy nienapisanej książki, która (itd.)*

46. W maju 1984 przyleciałam do Warszawy na pięciodniową konferencję. Atmosfera, choć stan wojenny zniesiono w lipcu poprzedniego roku, była spokojna tylko na powierzchni. Ale ja byłam szczęśliwa, bo wtedy została ostatecznie zatwierdzona moja kandydatura na lektora języka bułgarskiego na Uniwersytecie Warszawskim i we wrześniu miałam przyjechać do Warszawy przynajmniej na trzy lata.

47. Cały wrzesień upłynął mi na szukaniu odpowiedniego mieszkania, bo przyjechałam z dwunastoletnim synem. Ale jeszcze trudniejsze było ulokowanie go w szkole przy Ambasadzie ZSRR (rozporządzenie dotyczące dzieci wszystkich wydelegowanych Bułgarów na terenie Warszawy). Musiałam pokonać przeróżne biurokratyczne formalności, co było nie tylko męczące, ale i poniżające.

48. Z Kapuścińskim, będącym w ciągłych rozjazdach, zobaczyliśmy się dopiero 19 października – w dzień uprowadzenia księdza Jerzego Popiełuszki (oczywiście wtedy jesz-

cze o tym nie wiedzieliśmy). Iwo, który od czasu rozpoczę-
cia zajęć w szkole rosyjskiej w ogóle nie chciał mówić po rosyjsku, teraz rozmawiał z Ryszardem właśnie w tym języku,
wtedy jedynym wspólnym dla nich. A ja opowiadałam, jak
wybrałam pójście na *Cesarza* w Adekwatnym przed uczest-
nictwem w mszy za Ojczyznę księdza Popiełuszki, bo *Cesarz*
był grany raz w miesiącu, a msze odbywały się co tydzień.
Niebawem jednak okazało się, że dokonałam fatalnego wyboru – była to ostatnia msza księdza Jerzego...

49. Po pierwszych trudnościach nasze życie w Warszawie toczyło się normalnie: moje zajęcia, szkoła syna, praca
nad przekładem *Jak kochać dziecko* Janusza Korczaka, czytanie prasy podziemnej i literatury drugoobiegowej. Żar-
liwie wchłaniałam wszystko (był już rok 1985), co różnymi drogami do mnie docierało. Miałam dostęp prawie
do wszystkiego, co wychodziło w podziemiu. Powoli doj-
rzewała we mnie myśl, że powinnam zabrać się do tłumaczenia *Cesarza*. Jak tylko skończyłam Korczaka, umówi-
łam się z „Panoramą", gdzie już miałam otwarte drzwi, na
druk obszernych fragmentów. Nie miałam wątpliwości, że
jest to pierwszy krok do wydania kiedyś całej książki. Ten
mój wybór z *Cesarza* ukazał się w „Panoramie" w połowie
1986 roku i, tak jak *Szachinszach*, spotkał się z wielkim zainteresowaniem.

50. To wszystko zbiegło się w czasie z przyjazdem do
Warszawy mojego kolegi Iwana Wylewa, znanego poety
i tłumacza, którego mianowano wicedyrektorem Ośrodka Kultury Bułgarskiej. Wcześniej I.W. pracował w naj-
starszym bułgarskim wydawnictwie im. Christo G. Dano-
wa, więc – po uprzednim uzgodnieniu z Kapuścińskim
– zaproponowałam mu, by wystąpił z propozycją wyda-

nia w jednym tomie *Cesarza* i *Szachinszacha*. Nie trzeba go było długo namawiać, sam zrobił recenzję obu książek i załatwił wszelkie formalności. Tym razem wszystko poszło gładko. Propozycję przyjęto, miałam przekazać tekst w połowie 1987 roku. Przetłumaczyłam więc resztę *Cesarza* i całość przekazałam w terminie. Zaczęło się czekanie. Rok, drugi, trzeci. Na wszystkie moje próby uzyskania odpowiedzi, co się dzieje, dostawałam zawsze tę samą odpowiedź: na razie brak papieru...

51. Ale to było później. W 1988 roku przedłużono mi kontrakt na UW na następny rok. Byłam szczęśliwa, bo już zanosiło się na wielkie zmiany w Polsce. Poza tym z niecierpliwością czekałam na nową książkę Kapuścińskiego... Wreszcie któregoś dnia na początku 1989 roku dostałam kopię maszynopisu pierwszego *Lapidarium*. Połknęłam tekst jednym tchem i od razu skontaktowałam się z „Panoramą", tym razem poprzez moją byłą studentkę i przyjaciółkę Katię Mitową, która pracowała tam jako redaktor. Ustaliłyśmy wybór fragmentów, Ryszard go zautoryzował (miał to być pierwszy przekład obcojęzyczny) i zaczęłam tłumaczyć, dopingowana atmosferą wszechogarniającego podniecenia i nadziei po dopiero co ukończonych obradach Okrągłego Stołu i decyzji przeprowadzenia pierwszych częściowo wolnych wyborów.

*Cd. czasu najwyższego, czyli planu drugiej*
*nigdy nienapisanej książki, która (itd.)*

52. Pod koniec lipca 1989 roku wróciłam z Polski. Miałam za sobą euforię zwycięstwa „Solidarności" w wyborach. W Bułgarii ogarnęła mnie szara rzeczywistość: choroba i śmierć matki, problemy z ulokowaniem syna w szko-

le, powrót do pracy. Wczesną jesienią zaczęło się również i u nas coś dziać. Najpierw nieśmiało, a potem coraz intensywniej... Zburzenie muru berlińskiego i aksamitna rewolucja w Czechosłowacji przyśpieszyły bieg wypadków i 10 listopada „cesarz" Żiwkow abdykował. W międzyczasie jednak kolejna, dobrze zapowiadająca się „podróż" z Kapuścińskim napotkała niespodziewaną przeszkodę. Któregoś dnia K.M. przyniosła mi uprzejmy liścik od naczelnej „Panoramy", w którym po zachwytach i podziękowaniach wyrażono nieodpartą chęć „dokonania malutkich skrótów" w zaproponowanym wyborze. Nie mogłam się na to zgodzić i wycofałam tekst. Wyszedł on bez żadnych zmian dopiero pod koniec 1990 roku w kwartalniku „Sywremennik".

53. Na początku kwietnia 1990 roku (w przededniu moich 52. urodzin, dziesięć lat po rozpoczęciu batalii o wydanie utworów Kapuścińskiego po bułgarsku i trzy lata po złożeniu przekładu w wydawnictwie Ch.G. Danow w Płowdiw) wreszcie ukazała się pierwsza książka: *Cesarz* i *Szachinszach* w jednym tomie! Widocznie znalazł się papier... Ale tak czy inaczej był to również jakiś znak, że i na moim poletku zaczęło się coś zmieniać. Mogłabym więc żywić nadzieję, że uda mi się wydać i dawno przetłumaczoną *Wojnę futbolową*. Czy jednak tak było naprawdę?

54. Można by było ciągnąć tę opowieść dalej. Ale czy jest w tym jakiś sens? Wystarczy statystyka moich dalszych poczynań. W roku 1990 próbowałam po raz ostatni wydać *Wojnę futbolową* jako osobną książkę, tym razem w Wydawnictwie Wojskowym. Odmówiono, a we wniosku można było m.in. przeczytać: „Opublikowana w wie-

lu krajach poza Związkiem Radzieckim"... Tłumaczone z maszynopisu *Lapidarium* przeleżało w Wydawnictwie Uniwersyteckim parę lat, nie wiadomo z jakich przyczyn, i wyszło dopiero w 1993 roku, jednocześnie z *Imperium*, wydanym przez prywatnego wydawcę, któremu Fundacja Sorosa obiecała finansowe wsparcie, a potem, w ostatniej chwili, wycofała się z tej obietnicy. Co prawda w okresie 1991–1993 byłam znowu lektorką bułgarskiego w Warszawie i nie mogłam osobiście wszystkiego dopilnować, ale to nie zmienia faktu, że tłumacz dalej musiał walczyć o swoje przekłady. *Lapidaria (I–III)* miały większe szczęście, bo ich przekład ukazał się już w 1998 roku (tym razem Fundacja Sorosa słowa dotrzymała). Mniej więcej w tym samym czasie powstała idea wydania *Utworów zebranych* Kapuścińskiego (zawierających *Wojnę futbolową*, *Jeszcze dzień życia* i *Heban*). Miałam już wtedy ogromne poparcie profesor Minki Złatewej z Wydziału Dziennikarstwa Uniwersytetu Sofijskiego (która wprowadziła twórczość Kapuścińskiego do programu nauczania przyszłych dziennikarzy) oraz ówczesnego dyrektora Instytutu Polskiego doktora Wojciecha Gałązki, ale i ten projekt doczekał się realizacji dopiero w 2002 roku (z finansowym wsparciem Instytutu Adama Mickiewicza i Funduszu Literatury). Premiera tego tomu odbyła się w przededniu nadania Kapuścińskiemu tytułu doktora *honoris causa* Uniwersytetu Sofijskiego 18 kwietnia 2002 roku.

55. Jednak mimo wszystkich trudności i przeszkód, na które natknęłam się w ciągu tych lat, to na pewno nie koniec moich podróży z Kapuścińskim, lecz tylko chwilowe zatrzymanie się dla nabrania tchu. „A jednak Izmael płynie dalej..."

**Błagowesta Lingorska-Naczewska** urodziła się w 1938 r. w Sofii, ale do studiów mieszkała w miasteczku Trojan. Po ukończeniu polonistyki prowadziła kursy języka polskiego w Ośrodku Kultury Polskiej w Sofii. Potem krótko pracowała w Bułgarskiej Akademii Nauk. W latach 1970–1996 była nauczycielem akademickim na Uniwersytecie Sofijskim. Prowadziła ćwiczenia z gramatyki porównawczej języków słowiańskich oraz zajęcia praktyczne z języka polskiego. Oprócz tłumaczenia zajmuje się także pracami korektorsko-redakcyjnymi, składem i łamaniem komputerowym. Poza książkami Ryszarda Kapuścińskiego przełożyła m.in.: *Chama* Elizy Orzeszkowej, *Opowieść dla Przyjaciela* Haliny Poświatowskiej, *Książki zbójeckie* Wojciecha Karpińskiego. W 2000 r. Stowarzyszenie Autorów ZAiKS przyznało jej nagrodę za wybitne osiągnięcia translatorskie.

Véronique Patte

# U progu moich drzwi

*Świat był dla mnie zawsze wielką wieżą Babel. Jednak wieżą,
w której Bóg pomieszał nie tylko języki, ale także kulturę i obyczaje,
namiętności i interesy, i której mieszkańcem uczynił ambiwalentną
istotę łączącą w sobie Ja i nie-Ja, siebie i Innego, swojego i obcego.*

Ryszard Kapuściński, *Ten Inny*

Houthalen w belgijskiej Limburgii – szkoła położona na
wzgórzu, pośród piasków, sosen i hałd, gryzący i zniewalający zapach węgla. Domy w uporządkowanym szyku,
z cegieł żółtych, czerwonych lub białych dla Walonów
i Flamandów; z malowanego drewna dla górniczych rodzin Polaków, Turków, Włochów, Greków. Każdego ranka modlitwy po niderlandzku: „Onze vader die in de hemel zijt", „Wees gegroet Maria". Na szkolnym podwórku piosenki włoskie: „Marina Marina Marina, ti voglio
al piu' presto sposar... O mia bella mora...". Codziennie
nowe dźwięki, litery, słowa, frazy. Jest koniec lat pięćdziesiątych, mam siedem lat.

Wychowawczyni Els Rekkers, ruda, zalotna, w sukience deseniem przypominającej stronę gazety, wskazuje drew-

nianą linijką pstrokate abecadło: „aap, boom, oom, ook,
roos, vuur…". Wieczorem lekcje francuskiego z mamą:
ortografia, wypracowanie, deklamacja. Kraj, gdzie miasta
mają podwójne nazwy: Liège i Luik, Anvers i Antwerpen,
Mons i Bergen, gdzie prezenty dostaje się dwa razy w roku,
na Świętego Mikołaja i na Boże Narodzenie, gdzie pewnego dnia Afryka przypomni o sobie, czarne jak smoła dzieci
przypłyną z Konga w atmosferze ciszy i bólu. (W 1960 roku
Kongo przestaje być belgijską kolonią).

Wydaje się, że nie wszyscy są katolikami. Czy więc pój-
dą do nieba? Na pewno nie, raczej zginą w otchłani! Może
spotkają tam mojego ojca, który nigdy nie chodzi na mszę,
nie może więc liczyć nawet na czyściec.

I wreszcie wakacje na południu Francji u dziadka. Sierpień w Aveyron, z jego brzmieniem, akcentem, nowymi
i obcymi wyrażeniami, śpiewnymi i melodyjnymi, zabaw-
nymi, a czasem niepokojącymi: „brać na spytki", „być
morowym chłopem", „wziąć nogi za pas", „udawać świę-
toszka", „zdychać z głodu"… Zwroty nigdy niesłyszane,
a wieloznaczne, dziwaczne, nieprzeniknione. Słowa, które równocześnie intrygują i oszałamiają, bałamucą, odu-
rzają aż po bezsenność. Niezwykła świadomość, że rzeczywistość jest wielowymiarowa – podwójna, potrójna, po-
czwórna, nieskończona. Wszystko mówi się, pisze, śpiewa,
opowiada na dwa, trzy, cztery sposoby. Wystarczy wytężyć
słuch, by zanurzyć się w tym niezwykłym świecie, chłonąć
świeżość różnorodności, odmienności, wieloznaczności.
Słowa odsłaniają nieznany wszechświat, bogaty, pachną-
cy, tajemniczy. Świat do odkrycia, ale przede wszystkim do
słuchania, spijania, pochłaniania. Dla przyjemności, dobrego samopoczucia, dla szczęścia z odczuwania inności.

Słuchać, ale czemu nie uczestniczyć w grze? Kilkanaście lat później w paryskim autobusie trzy pokolenia – babcia, matka, córka – z ożywieniem wymieniają uwagi, niepokój miesza się z radością. Muzyka dociera z krainy dalekiej
i górzystej, wymiana dźwięków chrapliwych i pieszczotli-
wych, dziwnie upstrzona słowami rosyjskimi. Ciekawość
bierze górę: „Wy otkuda?". To trzy Armenki, od niedawna
emigrantki w Paryżu, ich życie to powieść, epopeja, saga.
Znają już z pół Paryża, jego szkoły, bulwary, parki...

Metro także dostarcza swoją porcję wrzawy słownej
i muzycznej. Krótka zabawa pozwala na chwilę uciec od
szarości pracowitych dni. Poddaję się dźwiękom egzo-
tycznej kołysanki. Zajmująca, wesoła, wręcz ekscytująca
gra, jeśli jej zasady są skrupulatnie przestrzegane: należy
w góra trzy minuty rozpoznać język pary siedzącej naprze-
ciw. Oczywiście surowo zabronione jest zadawanie jakichkolwiek pytań. Można za to skupić się na poszlakach po-
zajęzykowych: gestykulacja, kolor skóry, garderoba, sposób
bycia. Jeśli rozwiązanie jest odpowiednio szybko znalezio-
ne, można przejść do dalszych zgadywanek. Niektóre są
dziecinnie proste. Rozpoznanie melodii włoskiej lub arab-
skiej, na przykład, należy do kwestii podstawowej. To samo
z dialogami angielskimi, hiszpańskimi. Chociaż... Odróż-
nienie angielskiego od amerykańskiego, kastylijskiego od
hiszpańskiego południowoamerykańskiego nastręcza czasem problemy. Z tych samych powodów nie zawsze jest łatwo odróżnić portugalski od brazylijskiego, flamandzki od
niderlandzkiego, rumuński od mołdawskiego. Niekiedy zasady gry nabierają pikanterii: chodzi o Niemców z NRD
czy z RFN? Jednak ulubiona zabawa wiąże się z językami słowiańskimi, bo tu niepewność podwaja przyjemność.

Véronique Patte

Melodyjna intonacja i zmysłowość rosyjskiego, sycząca sło-
dycz polskiego, niecierpliwa żywiołowość serbskiego. I na
koniec są pytania, które pozostają bez odpowiedzi, drzwi na
zawsze zamknięte, jak języki afrykańskie, skandynawskie,
hinduskie… Oczywiście w przypadku porażki mogę zadać
jakieś pytanie, ryzykując, że będę niezrozumiana, a nawet
odrzucona. Przeważnie jednak mimowolny uczestnik zaba-
wy sam chętnie dostarcza klucza do rozwiązania zagadki.
Oddalam się szczęśliwa i dobrze poinformowana.

Zdarza się, że zabawa przynosi szczególne rozwiązania;
łzy wylewane przez małego Polaka na początku przedszkola
zaowocowały serdeczną przyjaźnią z rodziną chłopca.

Albo staż w ZSRR, na początku lat siedemdziesiątych.
Jedno z pierwszych spotkań z „blokiem komunistycznym",
z przygnębiającym klimatem kulturowym i językowym.
Obawa, trema, uprzedzenia. Ale zamiast wylądować na
planecie zaludnionej przez komsomolców, mówiących wyłącznie po rosyjsku, ląduję w sercu kultury frankofońskiej,
w społeczności studentów senegalskich, togijskich, malij-
skich, wysłanych do Związku Rzadzieckiego na pięcio-,
sześcioletni pobyt. Zamiast pogrążyć się w realnym socjali-
zmie, odkrywam Trzeci Świat. Zakłócenie znaczeń, punk-
tów odniesienia, granic.

*Zatrzymaj się… Zatrzymaj się. Oto obok ciebie jest inny czło-
wiek. Spotkaj się z nim. Spotkanie takie jest największym przeży-
ciem. Najważniejszym doświadczeniem. Spójrz na twarz tego Innego, którą on ci oferuje (…); nie tylko musisz spotkać się z Innym,
przyjąć go, dokonać aktu rozmowy. Musisz wziąć za niego odpowiedzialność.*

Ryszard Kapuściński, *Ten Inny*

Czasami gra traci swą beztroskę: powrót z przedmieścia Paryża kolejką RER pewnego ponurego zimowego wieczoru. Dzień był długi i ciężki. Przykre wrażenie, że uczniowie nie zrozumieli istoty wykładu. Wymiana gorzkich uwag z Nadią, asystentką z Leningradu. Naprzeciwko nas dwóch młodych ludzi, sprawiają wrażenie zafascynowanych. W milczeniu, ale czujnie obserwują, słuchają uważnie. Ich ubiór, wyraz twarzy, opalenizna, ale przede wszystkim spojrzenie przypominają podmuch wiatru ze wschodu, znad Wisły czy też Dniestru. „Wy otkuda?" Nie trzeba więcej pytań. Bariera znika. We Francji są od sześciu miesięcy, do tej pory ani razu nie mieli okazji rozmawiać w ojczystym języku. Obaj to Rosjanie z Mołdawii, do Francji dostali się nielegalnie, ukryci w tirze. Życie w Kiszyniowie było zbyt trudne, po 1991 nie mogli znaleźć pracy. Próbowali szczęścia w Moskwie, na budowie, ale padli ofiarą gigantycznego przekrętu. Dlatego zdecydowali się emigrować. Po przyjeździe do Francji trafili na zorganizowaną siatkę, która po kilku tygodniach znalazła im pracę, także na budowie, i dach nad głową – dwie godziny jazdy w jedną stronę na południowym przedmieściu Bras de Fer. Mieszkają w przyczepach campingowych, pogrupowani według narodowości po trzech–czterech w każdej. Trzecia część ich murarskich zarobków trafia bezpośrednio na konto właściciela campingu. Młodszy jest przekonany, że wyjdzie z tego, bo nie pije: „ja nie pijuszczij", nigdy, ani kropli! A także dlatego, że wszystko, co zarobi, odkłada. Niedługo zgromadzi dość pieniędzy, aby sprowadzić żonę i dziecko, a potem zrobią następne dzieci, tu, we Francji, i opuszczą camping, a dzieci nauczą ich francuskiego. Na Gare du Nord spotkanie zostaje brutalnie przerwane.

Nadia kontynuuje swą podróż w stronę Kremlin–Bicêtre, dwaj Rosjanie w stronę Bras de Fer.

Ale gra może przybrać też poważniejszy obrót.

Metro wypełnione po brzegi w godzinie szczytu. Wiosna. Mała ogolona główka i dwie buźki z kitkami uwijają się w wagonie pełne wigoru, wesołe, ożywcze. Kręcą się wokół pięknej matki z dumnie podniesioną głową, o łagodnym, niezmąconym, ufnym spojrzeniu. Jakaś księżniczka? Niechybnie taką ma prezencję. Przybyła z dalekich stron? Bez wątpienia. W pewnej odległości stoi mężczyzna starszy od matki, na oko nawet mocno starszy. Twarz poorana zmarszczkami, spojrzenie mroczne i nieobecne, ogólny wygląd trwoży i niepokoi. Barki przytłoczone ciężarem lat. Dziadek tej trójki? Jego milczenie silnie kontrastuje z ożywieniem rozćwierkanego potomstwa. Ich język fonetycznie dziwny, zbijający z tropu, chropowaty: „morożenoje", „pirożni", „szokolat". Obszar nieznany, ale niezupełnie: widoczne wspólne korzenie, no i ta mała gładka główka. Kaukaski obyczaj każe, by chłopców golić na łyso. Kaukaz znaczy bliskość geograficzną i językową z wielkim rosyjskim bratem. Trzeba korzystać z okazji: „Kak tiebia zowut?". Dwoje niebieskich oczu zatapia się w matce. „Mama, mama…" Reakcja jest nadspodziewanie żywa. Niestety, praca zobowiązuje, zabawa w zgadywankę kończy się przedwcześnie na stacji Malesherbes. Żegnajcie, marzenia, domysły, przypuszczenia. Tak oto tajemnica tej rodziny, jej pochodzenie, jej historia pozostanie na zawsze za szybą metra. Ale w ostatniej chwili, gdy drzwi metra zamykają się, delikatna dłoń wsuwa mi bilet z nabazgranym numerem komórki. Tak właśnie tradycyjna zabawa zmienia się w przygodę, zagadkę, powieść. Tego samego wieczora kontakt zostaje nawiązany. Spotkanie ustalone na następny dzień, przy wyjściu z metra Malesherbes. Na spotkanie stawia się matka trojga dzieci w towarzystwie drobnej pani o srebrzystych włosach. Wręczają paczuszkę i obie znikają w czeluściach metra. Wieczorem tłumaczenie dokumentów: paszporty, zaświadczenia z pracy, książeczki zdrowia i różne świadectwa. Osłupienie! Dokumenty odsłaniają ich biografię – okruchy życia naznaczonego cierpieniem i przemocą: bombardowanie i zrównanie z ziemią Groznego, filtracyjne łagry, poszukiwanie zaginionych... Matce na imię Kometa, jej mężowi Sułtan, są prawie w tym samym wieku, ogolona główka to Rusłan, dziewczynki z kitkami Tamara i Mariaszka. Następnego dnia oddaję wykonaną pracę, jak zwykle przy metrze Malesherbes, gdzie Tamara zjawia się znowu eskortowana przez Danutę, anioła o księżycowych włosach.

Koniec zgadywanek, beztroskich spotkań. Tym razem to zanurzenie się w świecie mrocznym i bolesnym, zstąpienie do piekieł, skąd trudno wydostać się z lekkim sercem. Od tej pory czuję się wciągnięta w jego czeluści, staję się jego więźniem. Aby się wyzwolić, trzeba zaakceptować tę rzeczywistość, trzeba ją zrozumieć. Poznać historię, sztukę, literaturę. Od poezji Puszkina i Lermontowa przez opowiadania Tołstoja po powieści Pristawkina i Ahmadowa. Zmierzyć się z wielkością i niegodziwością, dotrzeć do dokumentów, filmów, esejów Babickiego, Politkowskiej, Gluksmanna.

*Herodot... chce poznać Innych, gdyż rozumie, że aby lepiej poznać siebie, trzeba poznać Innych, bo to właśnie Oni są tym zwierciadłem, w którym my się przeglądamy, wie, że aby zrozumieć lepiej*

*samych siebie, trzeba lepiej zrozumieć Innych, móc się z nimi porów-
nać, zmierzyć, skonfrontować.*

Ryszard Kapuściński, *Ten Inny*

Od lektur do tłumaczeń, krok został zrobiony. Po to by
zrozumieć, odrzucić pułapki uprzedzeń, nie mieszać po-
jęć. Pamiętać, mieć oczy szeroko otwarte, być świadkiem.
Zachować wrażliwość na niesprawiedliwość świata. Wszędzie, w każdej chwili Inni tłoczą się u naszych drzwi, nieustannie przewijają się przed naszymi oczami: Flamando-
wie, Polacy, Włosi, Kongijczycy, Ormianie, Mołdawianie,
Czeczeni... I zmieniają w zwierciadło, bez którego życie
traci sens, a zostaje tylko różnorodność polityczna, eko-
nomiczna, religijna, ideologiczna.

– Czego jedziesz szukać, tam, w Rosji? – pytał mnie
mój dziadek. – Czy jest coś piękniejszego od pełnych ra-
ków strumieni w Aveyron? Ale skoro zależy ci na tym,
weź, to na twoją podróż. Pieniądze oddasz mi później...

Dziękuję, Dziadku, za twój wkład, bo od kiedy podróżu-
ję, przemierzam świat śladami wielkiego Czarodzieja Reportażu z Pińska. Przyjaciela, który umie obserwować, słuchać
i myśleć. Od książki do książki, od tłumaczenia do tłumaczenia. W jego towarzystwie wędruję od imperium sowieckiego po kontynent afrykański, od Ameryki Południowej
po Indie, od Chin po antyczną Grecję, wiedziona nienasy-
coną ciekawością i zakochaniem po uszy w inności.

*...istotne jest, aby... stale pamiętać i mówić o Innych, bo są dziś
ważnymi aktorami sceny świata...*

Ryszard Kapuściński, *Ten Inny*

*przełożyła Agnieszka Bojanowska*

**Véronique Patte** z mężem i trójką dzieci mieszka w Paryżu. Urodziła się w 1951 r. we flamandzkiej części Belgii, gdzie chodziła do przedszkola i szkoły. Młodość (liceum i studia slawistyczne) spędziła w Tuluzie. Aby pogłębić znajomość rosyjskiego, postanowiła udać się do Moskwy lub Leningradu, ale roczne stypendium przyznano jej do Woroneża. Po powrocie do Francji spędziła trzy lata w Paryżu. Kontynuowała studia na Sorbonie na wydziale Langues Orientales – tym razem wybrała język polski. Żeby doskonalić język, chciała pracować w Polsce jako lektor na Uniwersytecie Warszawskim lub Jagiellońskim – wysłali ją do Sosnowca. Po powrocie do Francji ubiegała się o posadę nauczycielki języka rosyjskiego w Paryżu, wysłali ją do Poitiers. Tam zaczęła pracę tłumaczki od przekładów Rudnickiego i Woroszylskiego. Od 1989 r. dzieli życie zawodowe między nauczanie języka rosyjskiego a tłumaczenie literatury polskiej i rosyjskiej. Przekładała na francuski m.in. Jarosława Marka Rymkiewicza, Sławomira Mrożka, Ryszarda Kapuścińskiego: *Imperium* (1993), *Heban* (2000), *Wojna futbolowa* (2003), *Sztywny* (2005) i *Podróże z Herodotem* (2006).

# I KSIĄŻKI MAJĄ SWOJE LOSY
## Z DUŠANEM PROVAZNIKÍEM ROZMAWIA BOŻENA DUDKO

*Przyjechał z Pragi mój przyjaciel i tłumacz – Dušan Provazník.
Dušan nie zmienia się – ten sam dobry, poczciwy Czech, o dużym
ładunku filozofii szwejkowskiej. Jest to filozofia, którą ogrzewa lek-
ki, nieco ironiczny uśmiech, a której dążeniem najbardziej podstawo-
wym jest – przeżyć.*

R.K., *Lapidarium*, 22 maja 1987

Już trzeci miesiąc koresponduję z Dušanem Provazníkiem,
który zna Ryszarda Kapuścińskiego od czterdziestu sześciu lat, a jego utwory tłumaczy od ćwierćwiecza. I próbuję go namówić, żeby napisał tekst do tej książki, ale on
się wzbrania. Przysyła mi różne materiały, daje prawo do
ich wykorzystania, ale własnego tekstu napisać nie chce.
A mnie od dawna intrygują ci dwaj czescy dziennikarze,
z którymi Ryszard Kapuściński przedzierał się do ogarniętego wojną domową Konga. Przecież to jeden z wielkich
tematów *nigdy nienapisanej książki*. Chciałabym o tamtych
zdarzeniach wiedzieć więcej niż te czterdzieści stron *Planu...* zawartych w *Wojnie futbolowej*:

*To, co piszę, nie jest książką* – wyjaśniał Kapuściński – *lecz tylko planem (a plan to nawet mniej niż skrót, szkic) nieistniejącej książki, więc nie ma tu miejsca na opis przeżyć...*

Może pan Dušan zapełni ten plan na przykład swoją opowieścią: o przeprawie (tysiąc kilometrów gruntowej rozwilgłej drogi z posterunkami żandarmów przez dżuglę) z Aby do Stanleyville (dziś Kisangani); o spotkaniach ze szwadronami zemsty; o uwięzieniu w Usumburze (dziś Bujumbura, stolica Burundii).

Chciałabym spojrzeć cudzymi oczami na 28-letniego reportera z Polski, który zawsze (to był jedyny wyjątek) sam podróżuje po świecie. Dušan Provazník jest jedną z nielicznych osób, które widziały go w terenie: jak pracuje, odpoczywa, znosi śmiertelne niebezpieczeństwo, więc próbuję go skłonić, by podzielił się tą wiedzą. (Z tym drugim, Jardą, już nie można porozmawiać – Jaroslav Bouček zmarł w kwietniu 2001 roku). Ale pan Dušan jest nieprzejednany: – Ryszard wszystko napisał w *Wojnie futbolowej* – i podaje mi numery stron: od 35 do 75, w trzecim Czytelnikowskim wydaniu.

Wreszcie udaje mi się go trochę rozmiękczyć. Zgadza się na wywiad i zaprasza do Pragi.

Największym marzeniem Ryszarda Kapuścińskiego, dziennikarza „Sztandaru Młodych", w 1955 roku jest prosta czynność przekroczenia granicy, którą wtedy postrzega jako akt mistyczny i transcendentalny. Z tego pragnienia – co opisał w *Podróżach z Herodotem* – zwierza się redaktor naczelnej Irenie Tarłowskiej, że chciałby pojechać do... Czechosłowacji. (Spełni się ono niebawem, pojedzie do

Pragi jako sprawozdawca sportowy na mistrzostwa w boksie). Ale w pierwszą prawdziwą podróż zagraniczną wyruszy za rok – w październiku '56 redakcja wyśle go do Indii.

A *kiedy Pan* – pytam Dušana Provazníka – *po raz pierwszy przekroczył granicę?*

– Od 1952 roku studiowałem na wydziale filozoficznym historię i filozofię – wymienia wydział, na którym i Kapuściński chciał studiować, ale wtedy w Warszawie na filozofię, jako burżuazyjny kierunek, nie było naboru, więc poszedł na historię.

Bo u nas każdy, obowiązkowo, musi wybrać dwa kierunki – dodaje. – I decydujący okazał się dla mnie rok '56 (byłem wówczas na czwartym roku). I to nie tylko z powodu odwilży politycznej w krajach bloku sowieckiego, ale dlatego że po raz pierwszy pojawiła się możliwość podróżowania dokądkolwiek. Na początku roku pojechaliśmy pociągiem na tydzień do ZSRR: zwiedziliśmy Moskwę, Leningrad, Kijów. A na wakacje umówiliśmy się ze studentami socjologii z Uniwersytetu Warszawskiego, że oni do nas przyjadą w lipcu, a my do nich – w sierpniu. Objechaliśmy wtedy prawie całą Polskę. Po powrocie do Pragi zacząłem odwiedzać Ośrodek Kultury Polskiej i czytać polskie gazety. Od tego czasu regularnie śledzę wydarzenia w Polsce – tak nauczyłem się języka polskiego. Jednak mam pewien problem z polszczyzną: świetnie rozumiem polski w mowie i piśmie, ale mówić po polsku mi trudno.

Rozmawiamy więc dwoma językami. Ja zadaję pytania po polsku, pan Dušan odpowiada po czesku. To już sprawdzona metoda, bo w taki sposób w ciągu ostatnich trzech miesięcy prowadziliśmy ze sobą rozmowy telefoniczne i tak wymienialiśmy listy. Ale teraz jest ze mną Jitka Sobotová, która przysłuchuje się naszej rozmowie i kiedy czegoś nie rozumiem, tłumaczy. (Pan Dušan zna Jitkę z Instytutu Polskiego, gdzie dwa razy w tygodniu – w poniedziałek i czwartek – przychodzi po gazety).

*Na studiach postanowił Pan, że zostanie dziennikarzem?*
– Już wcześniej to wiedziałem, jeszcze w gimnazjum. Dużo czytałem i pewnie książki rozbudziły moją ciekawość świata. Poza tym pochodzę z pogranicza. Z Hustopeče, 35 kilometrów od Brna. W naszym miasteczku połowę mieszkańców stanowili Niemcy, od dziecka jestem więc przyzwyczajony do wielokulturowości – mówiąc to Provazník się uśmiecha, więc zastanawiam się, czy też pomyślał o analogiach między Pińskiem na Polesiu a Hustopečami (po niemiecku Auspitz) na Morawach. – Dlatego wybrałem studia humanistyczne, wydawało mi się, że będą przydatne w tym zawodzie. A na ostatnim roku studiów współpracowałem z ČTK (Czechosłowacką Agencją Prasową), oni potrzebowali tłumaczy z różnych języków. Przekładałem dla nich m.in. teksty z polskiej prasy. Kiedy stało się jasne, że nie uda mi się zostać na uczelni, postanowiłem zatrudnić się w ČTK. Na egzaminie konkursowym przechodziliśmy testy językowe, pisaliśmy też prace – moją był komentarz do sytuacji politycznej w Polsce. Startowało nas trzydziestu, przyjęto – trzech. Trafiłem do redakcji zagranicznej, a że mało kto znał francuski (już się zaczęła dominacja angielskiego), a ja uczyłem się go w szkole, znalazłem się w dziale romańskim. Było nas sześciu, mnie

przypadły francuskie kolonie w Afryce – to była wówczas jedna trzecia kontynentu.

*Takie jak Algieria, Tunezja, Maroko...*
– Tak, bo wtedy – dzisiaj taka specjalizacja wydawałaby się dziwna – Czechosłowacja prowadziła rozliczne inwestycje w północnej Afryce, wielu naszych fachowców tam pracowało, więc należało przekazywać ważne bieżące informacje. Najpierw jeździłem na wyjazdy krótsze, potem dłuższe, aż zostałem korespondentem.

Francuzi byli bardziej skłonni na przykład od Brytyjczyków do współpracy i równego traktowania miejscowych. Starali się wykształcić własną afrykańską francuskojęzyczną elitę, żyjącą we francuskiej kulturze. No i nigdy nie przestali Afryki uważać za swoją strefę wpływów, nawet dziś bez problemu można tam kupić „Le Monde" czy „Liberation".

Kilka lat spędziłem w Afryce, dzięki czemu mogłem napisać książkę o Algierii, a razem z kolegami: Jiřim Havlíkiem i Jiřim Kettnerem, zrobiliśmy encyklopedię Afryki, która stała się podręcznikiem akademickim. Tak że jak tam się wszystko ruszyło, byłem dobrze przygotowany...

Rozmawiamy w mieszkaniu, które wcześniej należało do teściów pana Dušana. To solidne przedwojenne budownictwo na Pankracu. Spokojnie tu dokoła i zielono. W pobliżu toczyły się walki podczas krótkiego praskiego powstania (5–9 maja 1945 roku), które uniemożliwiło uczynienie z miasta hitlerowskiej twierdzy.

Siedzimy w pokoju, w którym przyjmuje się gości. (Obok jest gabinet pana Dušana, ale tam nie wejdziemy). Pod ścianą leżą sterty książek specjalnie przygotowanych na nasze spotkanie – to głównie jego przekłady z polskiego i francuskiego. I kilka własnych.

*W „Roku Afryki", gdy siedemnaście krajów uzyskuje niepodległość, jedziecie do Konga. Dlaczego właśnie Kongo?*
– Bo w 1960 roku Kongo było największym problemem Afryki. Po uzyskaniu niepodległości państwo natychmiast się rozpadło. W okresie zimnej wojny walka o niepodległość krajów afrykańskich wywoływała nerwową atmosferę, do akcji włączyła się Organizacja Narodów Zjednoczonych. Zakładano, że procesy tam zachodzące mogą stać się zarzewiem konfliktu między mocarstwami, który doprowadzi do wybuchu trzeciej wojny światowej – to wtedy można było przeczytać na pierwszych stronach gazet. Obawiano się najgorszego i w ten konflikt włączyły się Stany Zjednoczone, Związek Radziecki, a nawet Chiny. A państwa socjalistyczne popierały rządy krajów afrykańskich, które odzyskiwały niezależność.

Dziennikarzy tam nie wpuszczano (potem się okazało, że byliśmy jedynymi z Europy). Pojedynczo żaden z nas by temu nie sprostał, to ważne, że pojechaliśmy we trzech.

*Kim był ten trzeci, czyli Jarda Bouček?*
– To korespondent gazety „Rude pravo" (dziś „Pravo") z Kairu. Był od nas trochę starszy (rocznik 1923), więc bardziej doświadczony; myślę, że był świadomy tego, co się dzieje. Miał za sobą pobyt w Libanie i różne dyplomatyczne kontakty, m.in. z rządem Gizengi, więc mógł załatwić niezbędne na wyjazd dokumenty. Ani ja, ani Ryszard takich możliwości nie mieliśmy.

*Jak Kapuściński trafił na Boučka?*

– Aniela Krupińska, żona Boučka, jest Polką, współpracowała z PAP-em. Do Jardy trafiali więc wszyscy polscy dziennikarze, którzy przejeżdżali przez Kair. Któryś z nich powiedział Ryszardowi o Boučku, że będzie się przedzierał do Konga, więc postanowił do niego dołączyć, tak jak i ja (przyleciałem z konferencji w Casablance do Kairu – tam dopiero Jardę poznałem). Tylko że Ryszard od początku miał świadomość, że to są wielkie wydarzenia historyczne, postanowił w nich uczestniczyć, być ich świadkiem. Ja tej świadomości nie miałem, dla mnie to wszystko było przygodą, miałem 26 lat.

Ryszard chciał jechać do Leopoldville (dziś Kinszasa), lecz Belgowie wyrzucili stamtąd wszystkich dziennikarzy z państw socjalistycznych. Ale w Stanleyville był drugi rząd – Antoine'a Gizengi, popierany przez nasz blok, więc tam mogliśmy się udać. Patrząc z dzisiejszej perspektywy, widzę, że to było ogromne ryzyko. Mieliśmy wielkie szczęście, że uszliśmy stamtąd z życiem. Gdybym wtedy wiedział to wszystko, co wiem dzisiaj, to oczywiście bym tam nie poleciał.

Wypytuję więc pana Dušana o te wszystkie niebezpieczeństwa: spotkania z żandarmami podczas przeprawy przez dżunglę do Stanleyville i ze szwadronami zemsty, które w styczniu 1961 roku brały odwet na białych po zamordowaniu premiera Patrica Lumumby; wyprawę na pocztę, na drugi koniec sterroryzowanego miasta, żeby nadać depesze agencyjne; ucieczkę ze Stanleyville przy pomocy komisarza ONZ; uniknięcie rozstrzelania w Usumburze... Ale bezskutecznie.

– Wszystko znakomicie opisał Ryszard w *Wojnie futbolowej*, ja nie mam nic do dodania – tę odpowiedź usłyszę jeszcze kilka razy.

*A jak się mieszka z Kapuścińskim, bo w Residence Equateur w Stanleyville spaliście w jednym pokoju.*
– Dobrze, nie chrapie [śmiech]. Nie było żadnych problemów. Myślę, że to wspólne mieszkanie zbliżyło nas do siebie. Ryszard jeszcze wtedy nie znał dobrze francuskiego. Właściwie każdy wieczór wyglądał tak, że on mnie wypytywał, co ci ludzie, z którymi dziś rozmawialiśmy (albo on sam rozmawiał, bo już wtedy cechowała go ogromna ciekawość i niespożyta energia), mówili; czy on to dobrze zrozumiał. I z tego robił sobie notatki. Na ich podstawie opracowywał korespondencje, które potem – przez Paryż – wysyłał do Polski. To ciekawe, że choć Kongo było już podzielone, to poczta szła ze Stanleyville do Leopoldville, a dopiero stamtąd do Francji.

Pan Dušan, jak przystało na typowego Czecha, opowiadając o wojnie, nie zapomina o drobnych codziennych przyjemnościach, dzięki którym mógł przetrwać:
– Dużo czytałem. Obok naszego hotelu była wypożyczalnia książek – paperbacków po francusku, angielsku. Chodziłem tam co drugi dzień. Mieli sporo powieści i kryminałów. Niektóre książki wypożyczałem, inne kupowałem. Między innymi Simenona, Orwella.
Głównym architektem miasta był potomek rosyjskich emigrantów. I on się bardzo cieszył, jak mógł z nami porozmawiać po rosyjsku. Czasem nas zapraszał na kolację do swojej rezydencji, wtedy jedliśmy wyłącznie specjały rosyj-

skiej kuchni. A zaraz za naszym hotelem była belgijska restauracja, często tam chodziliśmy, bo jedzenie było tańsze niż w hotelu i bardzo dobre – europejska kuchnia. Można tam było także dostać piwo – Belgowie to też piwosze, więc miejscowy browar cały czas pracował.

Przed wyjazdem do Pragi, gdy przygotowywałam się do tej rozmowy, pani Alicja Kapuścińska opowiadała mi, jak Dušan po wydaniu *Wojny futbolowej* w 1983 roku mówił: „Kiedy tłumaczyłem *Wojnę*..., dopiero do mnie dotarło, co myśmy w tym Kongu przeżyli. A ja chodziłem do tego Belga na piwo, on miał takie dobre piwo, i czytałem książki, nie zdając sobie sprawy, co się tak naprawdę dzieje".

*Czy takie doświadczenie jak Kongo sprawia, że ludzie zaprzyjaźniają się na całe życie?*
– W Rzymie, gdy się rozstawaliśmy na lotnisku, nie wiedzieliśmy, jakie będą nasze dalsze kontakty. Mnie w tym dopomogła historia. Od '56 roku angażowałem się w demokratyzację, więc kiedy nastała Praska Wiosna, byłem aktywnym jej uczestnikiem, a ČTK popierała zapoczątkowe reformy. Kiedy zaczęła się Operacja Dunaj, opowiedzieliśmy się po stronie rządu Dubčeka.

*Pamięta Pan noc z 20 na 21 sierpnia, sprzed 38 lat?*
– Tego dnia mieliśmy długie redakcyjne zebranie, po którym wróciłem do domu. O północy zadzwonił kolega z ČTK i mówi: – Już nas zabierają, już nasz kraj zabierają...
– Co ty mówisz? – nic nie rozumiałem. – Zwariowałeś?

„No to otwórz okno".

Otworzyłem. Usłyszałem samoloty i wszystko stało się jasne.

W ČTK pełniłem wtedy funkcję zastępcy redaktora naczelnego, więc zadzwoniłem do dyżurnego. On był w trudnej sytuacji, bo zmuszano go, żeby nadał list rządu zapraszający do interwencji. Poprosiłem, by nic nie nadawał. On w tym wytrwał.

Na drugi dzień rano, panował wtedy straszny chaos, Rosjanie zajęli główny gmach agencji. Ale ČTK miała w Pradze kilka budynków i jeszcze przez czternaście dni dawało się pracować. Nadawaliśmy z ukrytego nadajnika w jednym z tych budynków. (Radio też nadawało...) No a potem wyrzucili nas z pracy.

*Jak to się odbyło?*

– Po prostu pojawili się dziennikarze zainteresowani taką współpracą. Niektórzy to byli nasi dawni koledzy z ČTK, ale przyszło też sporo nowych. Straciłem prawo wykonywania zawodu. No i stanąłem przed problemem: co robić? Po jakimś czasie znalazłem zajęcie redaktora technicznego w piśmie Związku Tłumaczy Czeskich „Ad notam", ale długo tam nie popracowałem.

*Dlaczego?*

– Lepszego scenariusza nie mogli wymyślić: wiosna 1970 roku, pałac Žofin, a w nim doroczny bal tłumaczy. Może za bardzo się reklamowaliśmy, były plakaty, w mediach – informacje o balu. I nazajutrz pojawił się funkcjonariusz Ministerstwa Spraw Wewnętrznych z dekretem, że nas rozwiązują. (Związek mógł legalnie działać dopiero po „aksamitnej rewolucji"). Znowu zostałem bez pracy, więc zdecydowałem się tłumaczyć na własny rachunek, bo musiałem utrzymać rodzinę. Mogłem jednak wykazywać tylko wynagrodzenie za przekłady techniczne, ponieważ znalazłem się na liście osób, na których nie można polegać. Nie mogłem tłumaczyć beletrystyki. Dlatego wszystkie książki z tego czasu są wydane pod nazwiskiem mojej żony. Dopiero gdy miałem pięćdziesiątkę i zacząłem myśleć o emeryturze, przekonałem wydawnictwo Mladá fronta, by obok nazwiska żony umieszczano i moje, żebym mógł wykazywać wyższe przychody. Stąd w książkach wydawanych od 1985 roku pojawiamy się już oboje – Dušan Provazník i Pavla Provazníková. Po 1989 roku mogłem już bez problemu podpisywać swoje przekłady.

*Pana żona miała jeszcze jakąś inną zasługę dla przekładów oprócz ich obrony przed urzędami?*

– Pavla przez te wszystkie lata mi pomagała. Jest bohemistką, wprawdzie nie zna języka polskiego, ale robiła redakcję językową moich tłumaczeń.

*Czy z tłumaczenia dało się przeżyć?*

– Jakoś przetrwaliśmy.

*A jak stał się Pan tłumaczem Kapuścińskiego?*

– Czytywałem polskie gazety, więc widziałem, jak fenomenalnie się rozwija. Od dłuższego czasu myślałem, żeby zrobić wybór reportaży z jego pierwszych książek, i w marcu 1976 roku nawet do niego w tej sprawie napisałem, jednak nic z tego nie wyszło. Dopiero jak w lutym 1978 roku „Kultura" publikowała w odcinkach *Cesarza*, zacząłem go tłumaczyć dla tygodnika „Svět práce" („Świat Pracy").

Miły Ryszardzie,

cieszę się, że wróciłeś z Etiopii cały i zdrowy i tylko życzył-
bym sobie, żebyś już więcej nigdzie nie wyjeżdżał, a tylko pisał
i pisał. Przeżyć i materiału masz na mnóstwo książek i byłaby
to wielka szkoda, gdybyś tego wszystkiego nie napisał.

[z listu D.P., 1 marca 1978]

W edycji książkowej *Cesarz* – jako pierwszy zagranicz-
ny przekład na świecie – ukazał się w 1980 roku w wydawnictwie Panorama (z mapą, posłowiem Bořivoja Homoli,
w serii podróżniczej).

Gdy „Kultura" w lipcu 1979 roku zaczęła drukować
*Katharsis* (pierwotny tytuł *Szachinszacha*), Provazník też
na bieżąco tłumaczył kolejne odcinki.

Chcesz wiedzieć, co myślę o Katharsis? Jest to dobre, naprawdę dobre – na pewno powiedziało Ci to już wiele osób.
Trochę się o Ciebie bałem, bo po Cesarzu wszyscy od Ciebie
dużo oczekują, a nie zawsze udaje się napisać tak samo do-
brą rzecz. Ale tych pierwszych 50 stron, które przeczytałem
i przetłumaczyłem, w porównaniu z Cesarzem wypada dobrze. Z tłumaczenia Katharsis mam taką samą radość przy
pracy jak przy Cesarzu; cenię to sobie, dlatego że nieraz nie
ma się żadnej szczególnej przyjemności z tłumaczenia, jest to
harówka. (...)

O pozostałych sprawach dopiero ustnie. Nie ponawiam
zaproszenia do Pragi, tak jak i Ty nie musisz ponawiać zaproszenia do Warszawy. To między nami nie jest konieczne. Przy-
jedź kiedykolwiek, gdy skończysz pisanie i będziesz miał ochotę
na małą zmianę atmosfery.

[z listu z 6 września 1979]

– No i stała się rzecz dziwna: po dwóch trzecich książki Ryszard nagle zamilkł. W Polsce coś drgnęło i zainte-
resowała go sytuacja wewnętrzna kraju, więc porzucił pisanie o rewolucji w Iranie. A ja wtedy z czternastodnio-
wym opóźnieniem tłumaczyłem *Szachinszacha* znowu dla
„Světa práce". Równolegle przekazywałem tłumaczenie
do „Panoramy", która od razu wysyłała je do drukarni,
żeby książka mogła jak najszybciej się ukazać. To jego milczenie strasznie wszystkim skomplikowało pracę. Próbo-
wałem namówić Ryszarda, żeby nam pomógł.

*Mój drogi Ryszardzie, trzeba coś zrobić, by wydawnictwo
dostało maszynopis na czas, żeby książka mogła się ukazać
wiosną. Jestem świadomy, w jakiej jesteś sytuacji, ale naprawdę nic się na to nie poradzi, trzeba książkę jakoś dokończyć,
nawet za taką cenę, że zmienisz w stosunku do niej począt-
kowe plany. Już mówiłem Alicji, gdy z nią ostatnio rozma-
wiałem, że według mnie wystarczyłoby dopisać 30–40 stron
i zakończyć wszystko jakimś skrótem, zrobić z tego jakby powieść z otwartym zakończeniem. Przecież to się tak naprawdę nie kończy.*

[z listu z 13 października 1980]

– Sytuacja w Polsce się zaostrzała. Po referacie Breż-
niewa na XXVI Zjeździe KPZR było jasne, że ciągu dalszego tak szybko się nie doczekamy. Redaktorki z „Panoramy" podjęły bardzo odważną decyzję, że *Katharsis* wydamy w takiej formie, jaką Ryszard zdążył opublikować.
A żeby książka w ogóle miała jakieś zakończenie, musiałem coś napisać.

Pan Dušan otwiera *Szachinszacha* i czyta te trzy dopisane przez siebie akapity:

*Mahmud wrócił do Londynu, ponieważ nie mógł w sobie pokonać strachu. Przeczuwał jednak zbliżający się finał i dokładnie analizował oznaki zbliżającego się wybuchu.*

*Sygnał znowu dali studenci, jak to bywa w Trzecim Świecie. Potem wystąpiły ze swoimi żądaniami i pozostałe grupy społeczne. Od października 1978 roku ulice irańskich miast już nie zaznały spokoju. Nieustannie maszerowały po nich tłumy żądające odejścia szacha. Młodzi ludzie szli wprost pod lufy karabinów, które nie miały czasu wystygnąć.*

*Nie może się dziś utrzymać żadna siła w zderzeniu z narodem, który gotów jest przez trzy miesiące każdego dnia poświęcać trzydzieścioro swoich synów i córek. Nie utrzymała się i dyktatura szacha. Reza Pahlavi wyjechał 16 stycznia 1979 roku z całą swoją rodziną i po osiemnastu miesiącach wygnania (27 lipca 1980 roku) zmarł na raka w Egipcie.*

przełożyła Wirginia Mirosławska

A więc pierwsze książkowe wydanie *Szachinszacha* ukazało się nie w Warszawie, ale w Pradze jesienią 1981 roku! Jednak było niepełne – bez pięćdziesięciu stron *Martwego płomienia*, który dotąd nie został przełożony na czeski. Całość wyszła w Polsce już w stanie wojennym – w marcu 1982.

Pan Dušan sięga po polską edycję i pokazuje dedykację, którą napisał mu Kapuściński:

*Drogi Duszanie! Przesyłam Ci moją nową książkę, której – zresztą – PIERWSZE WYDANIE ŚWIATOWE ukazało się w Pradze dzięki Tobie! Dziękuję Ci najmocniej! (...) Rysiek.*

*PS Duszanie,* Wojnę futbolową *wydaj bez moich zdjęć.*
*19 czerwca 1982.*

Ryszard Kapuściński jest znakomitym fotografem, co
wszyscy wiedzą, od czasu wydania jego albumu Z *Afryki*
(Buffi 2000). Pan Dušan wie to od dawna, dlatego w *Ce-*
*sarzu* zamieścił jego dwadzieścia trzy czarno-białe zdjęcia
z Etiopii.

*Jak się udało namówić Kapuścińskiego, który jest wrogiem*
*ilustrowania swoich książek zdjęciami, że je Panu dał? Nie ma*
*ich w żadnym (poza czeskim) wydaniu.*
– Widocznie wtedy [śmiech] nie był takim wrogiem.
Ale w *Wojnie futbolowej* jest szesnaście zdjęć Bohusla-
va Šnajdera.

*Czy w Czechach też występuje – jak w Ameryce Łaciń-*
*skiej, Włoszech, Skandynawii – Kapumania i Kapumaniacy?*
– W grudniu 1995 roku Ryszard przyjechał do Pragi na
promocję *Imperium.* Na wieczór autorski w Polskim Insty-
tucie przyszło bardzo dużo ludzi w różnym wieku (także
Jarda Bouček). Widać było, że znają wszystkie jego książki
wydane po czesku i że są one dla nich ważne.

*Nie miał Pan pretensji do losu, że gdyby nie ingerencja hi-*
*storii w Pańskie życie, to mógłby Pan jak Kapuściński jeździć*
*po świecie i pisać reportaże?*
– Ja nie mam talentu, jestem depeszowcem. Nigdy nie
przekroczyłem granicy stylu agencyjnego, nawet jak czasem coś pisałem dla gazet. Nie mam też charakteru Ry-

szarda. Jego zawsze ciągnęło do świata, ludzi – mieszkał z nimi, jadł tak jak oni, nie oszczędzał się i nieraz musiał płacić za to zdrowiem.

*Jak Pan się czuł, gdy przez tyle lat nie mógł pracować w swoim zawodzie?*

– Właściwie mogę powiedzieć, że miałem szczęście. Nie spotkały mnie wtedy, tak jak wielu ludzi, ciężkie represje. Mogłem pracować w dość zbliżonym zawodzie, bo tłumaczyłem przede wszystkim literaturę faktu. Po latach widzę, że to było dobre dla naszej rodziny. Mieliśmy taką sytuację, że żona uczyła w liceum i pracowała po południu. Co by się stało z naszymi dziećmi, gdybym był dziennikarzem i dużo jeździł po świecie? A tak pracowałem w domu, jak dzieci wracały ze szkoły, mogłem się nimi zająć, dopilnować ich. Mam porównanie, bo dwa dni w tygodniu zajmuję się pięciorgiem wnucząt. Córka jest lekarką, syn menedżerem w firmie farmaceutycznej – oni w ogóle teraz nie mają czasu, ale przynajmniej mieli szczęśliwe dzieciństwo.

– Myślę – mówi mi na pożegnanie – że ten urodzinowy materiał powinien być głównie o tym, jak książki Ryszarda wychodziły po czesku. Kiedy się nad tym zastanawiałem, przyszedł mi do głowy taki tytuł: *I książki mają swoje losy*. Bo przecież nie tylko ludzie mają swoje historie, książki też. Będzie chyba dobry?

Przed odjazdem z Pragi – jest ostatni weekend sierpnia 2006 roku – robię obchód księgarni przy Václavskie náměstí. Wszędzie widzę niedawno wydane w przekładzie Dušana Provazníka *Lapidarium* (IV i V w jednym tomie). Gdy byłam w Pradze w lipcu ubiegłego roku, nakłady wszystkich książek Ryszarda Kapuścińskiego były wyczerpane.

*Dziękuję pani Alicji Kapuścińskiej za udostępnienie materiałów z domowego archiwum i Polskiemu Instytutowi w Pradze za pomoc przy powstaniu tego tekstu.*

Bożena Dudko

**Dušan Provazník**, rocznik 1934. Z powodów politycznych przez dwadzieścia lat nie mógł pracować w dziennikarstwie, więc zaczął tłumaczyć. Do ČTK, z której został wyrzucony w 1968 r., wrócił w 1990 r. na stanowisko kierownicze. Chciał pisać, dlatego w 1992 r. przeszedł do tygodnika „Ekonom", gdzie do 2003 r. prowadził rubrykę gospodarki światowej. Współpracował z dziennikami: „Lidové Noviny" i „Slovo", oraz z kilkoma periodykami. Tłumaczy głównie z francuskiego, polskiego i angielskiego. Na liście jego przekładów ważne miejsce zajmują *Rozmowy z katem* Kazimierza Moczarskiego, *Ta z Hamburga* Hanny Krall i sześć książek Ryszarda Kapuścińskiego: *Cesarz* (1980), *Szachinszach* (1981), *Wojna futbolowa* (1983), *Imperium* (1995), *Heban* (2003), *Lapidarium* (2005). „Lidové noviny" w dorocznej ankiecie uznały *Heban* Książką Roku, a wydawnictwo Mladá fronta nagrodziło znakomity przekład.

AGATA ORZESZEK

# DREPTANIA Z(A) KAPUŚCIŃSKIM

1

*Kochali wolność. Kochali step. Kochali nieograniczoną prze-
strzeń.*

R.K., *Podróże z Herodotem*

Ryszard Kapuściński w Barcelonie. (Nie ma znaczenia,
czy to rok 2002, 2005 czy 2006; czy przyjeżdża wykładać,
czy odbierać nagrodę lub doktorat *honoris causa* – zawsze
jest tak samo). Już na długo przez przyjazdem urywają się
telefony (spryciarze organizatorzy imprez z Jego udziałem
mają zwyczaj przerzucać na mnie robotę *public relations*),
skrzynka poczty elektronicznej pęka w szwach, ten prosi o wywiad dla radia, tamten – dla telewizji, trzeci, piąty i dwudziesty też – o dziennikarstwie, o reportażu, o glo-
balizacji, migracji i cywilizacji, o terroryzmie, o mediach,
o Trzecim Świecie...; temu napisz przedmowę, tamtemu
posłowie, tu wygłoś wykład, tam poprowadź panel... i tak
bez końca.

Wreszcie jest, przyleciał. Wywiady (w liczbie, rozumie się, ostro okrojonej, ale i tak wygórowanej), wykłady, podpisywanie, a teraz obiad z..., a potem kolacja z..., rozmowy, zaproszenie do..., zaproszenie na..., flesze, kamery, mikrofony...; parafrazując *Wojnę futbolową* – „bomba, trąba, hekatomba!".

Przyglądam się z boku każdemu takiemu osaczeniu i widzę, że – wykończony – najchętniej by stąd uciekł. Ale nie – skupia się i otwiera, wygłasza, wykłada.

Spręża się i udziela, gawędzi, ściska prawice, rozsiewa uśmiechy.

Mobilizuje się i dedykuje, podpisuje, żartuje, dziękuje, żuje i... szczeżuje.

Cena sławy – wyszukana forma zniewolenia.

Na szczęście nie zawsze trzeba się skupiać, sprężać i mobilizować. W luźnej, przyjacielskiej rozmowie na obiedzie z Jorge Herralde (założycielem i dyrektorem Anagramy) i Lali Gubern (żoną Jorge i drugimi skrzypcami w wydawnictwie) Ryszard czuje się tak odprężony po „bombie, trąbie, hekatombie" dnia poprzedniego, że w pewnej chwili porzuca bezwiednie hiszpański i przechodzi na polski.

– Oj, przepraszam! – przerywa sobie w pół zdania, widząc coraz szerszy uśmiech i coraz bardziej zdziwione oczy siedzącej naprzeciwko Lali.

– Nic nie szkodzi. Szczęśliwym trafem mamy dziś przy sobie podręczny słownik polsko-hiszpański – odpowiada Lali, mrugając do mnie porozumiewawczo.

Na tym samym obiedzie (jest koniec maja 2006) Ryszard anonsuje, że wkrótce ukaże się w Polsce *Ten Inny*. Jorge chciałby tę książkę („książeczkę", poprawia autor) wydać już, natychmiast, a najlepiej – „wczoraj". Naciera więc na swój podręczny słownik polsko-hiszpański.

– Za ile dni dostanę przekład?

– Dni? Nawet nie obiecuję, że dostaniesz go za kilka tygodni. Teraz nie mogę, mam na warsztacie *Lalkę*, przede mną pracowity rok akademicki – tłumaczę się. – Trochę cierpliwości...

– A jak byś się zapatrywała na to, bym zlecił tę pracę innej tłumaczce?

– Ja, świetnie. Ale ty nie mógłbyś już nigdy zapatrzyć się ani na tę tłumaczkę, ani na efekt jej pracy.

Jorge nie zaryzykował wydrapania mi oczu, a ja odkryłam (przyznaję, że bez zdziwienia) nową cechę charakteru tłumacza: zaborczość.

2

*W miejsce pytań pojawiła się nieskończona ilość powiedzeń, zawołań i zwrotów wyrażających aprobatę tego, co jest...*

R.K., *Imperium*

Hiszpański przyczynek do fatalistycznej skarbnicy: „Lepsze znane zło niż nieznane dobro".

Zdecydowanie wolę środowiskowe: „Lepiej (nawet źle) wspominać, niż żałować".

Szkodliwość (niektórych) przysłów i porzekadeł: „Człowiek winien w życiu zrobić trzy rzeczy: począć dziecko, zasadzić drzewo i napisać książkę".

Sądząc po niskim przyroście naturalnym (rodzą głównie imigrantki) i upustynnieniu kraju, Hiszpanie wzięli sobie do serca tylko ten trzeci nakaz. Według danych Stowarzyszenia Wydawców z roku 2004, hiszpański przemysł (bo to już jest przemysł) wydawniczy dzień w dzień (nie wyłączając sobót i niedziel) wypuszcza na rynek 171 tytułów! (62 415 tytułów rocznie!).

Hiszpanie w ogóle mają tendencję do rozpisywania się. Ilekroć zostaję mianowana członkiem jakiejś akademickiej komisji (obrony prac doktorskich, habilitacyjnych), drżę na samą myśl, że przyjdzie mi czytać opasłe tomiszcza, bo średnia w tym kraju to 500–600 stron.

Czy wynika to z barokowej struktury języka czy z nieumiłowania syntezy? A może jedno jest konsekwencją drugiego?

Z okazji Targów Książki w Madrycie (przełom maja i czerwca 2006) sarkastyczny (i świetny!) El Roto zamieścił w „El País" dowcip rysunkowy (dedykowany Jorge Herralde). Rozmawiają ze sobą dwie książki. Jedna mówi do drugiej: „Nasze wiekopomne posłannictwo sprowadza się dziś do dwóch tygodni na półce z nowościami".

8 czerwca 2006

*Podróże z Herodotem* wyszły cztery tygodnie temu, więc, przerażona, pobiegłam do zaprzyjaźnionej księgarni i odetchnęłam z ulgą – są! Na wystawie i na stoliku z tablicz-

ką „Warte przeczytania – Polecamy". Nadal jednak pełna
obaw, zrobiłam rundkę po mieście. Z obchodu księgarń
wróciłam uspokojona – czarna wizja El Roto tym razem
się nie sprawdziła.

Czary słodyczy dopełniło pojawienie się katalońskiego tłumaczenia *Podróży*... Jerzego Sławomirskiego i Anny
Rubió (hiszpańskie utrzymuje się od pierwszego tygodnia)
na rankingowej liście dziesięciu najlepiej sprzedających
się książek *non-fiction* (publikowanej co czwartek w „El
Periódico", w dodatku „Książki").

Dopisek z 15 czerwca: *Podróże*... twardo utrzymują się
na obu listach.

Dopisek z 22 czerwca: *vide supra*.

Dopisek z 29 czerwca: *vide supra*.

Dopisek z 6 lipca (ostatni: dodatek żegna się do października): *vide supra*.

## 3

*Język to największy skarb kultury, a jednocześnie najbardziej
czuły i rozpoznawalny znak tożsamości.*

R.K., *Tłumacz – postać XXI wieku*

I właśnie dlatego medialne dyskusje o tym, czy Kata-
lończycy są narodem, czy nie (i w którym paragrafie nowego statutu autonomicznego powinna znaleźć się tak

sformułowana definicja narodu), jest wyłącznie biciem piany. Spór podtrzymują (i podgrzewają) politycy i media. Ludzie z ulicy zaś wznoszą się ponad cały ten rwetes (poza Katalonią często przechodzący w jazgot nienawiści), bo i tak wiedzą, że poczucia przynależności do swojego, katalońskiego, narodu nikt im nie odbierze. A że nie mają państwa? Nie oni pierwsi, nie oni ostatni. Znakomita większość nie ma zresztą nic przeciwko temu, by kraj stanowił część Hiszpanii (tym bardziej w czasach zjednoczonej Europy i zglobalizowanego świata, w których państwo narodowe staje się coraz większym przeżytkiem), i dwujęzyczność od kolebki uważa za wartość dodaną, nie za ujmę.

Mówi się, że Katalończyków charakteryzują dwie przeciwstawne postawy, ujęte w kluczowe słowa: *seny* [wym. seń] i *rauxa* [wym. rausia].

*Seny* można przetłumaczyć jako „rozsądek", „zdrowy rozum", a najlepiej – „zdroworozsądkowość" (neologizm nie jest może najśliczniejszy, ale oddaje istotę rzeczy).

Stąd ta wyważona, stateczna, umiarkowana, pragmatyczna klasa średnia (tak zakorzeniona, zasiedziała i wpisana w krajobraz, że narzucająca ton całemu społeczeństwu).

*Rauxa* to „szał", „poryw" (wyobraźni, twórczego szaleństwa).

Stąd ten wspaniały i nieokiełznany rozmach w architekturze i sztukach plastycznych; stąd Gaudí i Miró, Dalí i Tàpies, Puig i Cadafalch, Domènech i Montaner... niekończąca się plejada nawiedzonych, genialnych wariatów.

(W tym katalońskim szaleństwie jest jednak metoda).

Kogoś mi tu brakuje. O, już wiem, Picassa. Picasso mieszkał w Barcelonie prawie dziesięć lat, w tak ważnym okresie, jakim jest dojrzewanie (od czternastej do dwudziestej czwartej wiosny życia). Jak nic, to właśnie tu zaraził się *rauxą*.

### 4

*To był mały piesek rasy japońskiej. Nazywał się Lulu. Miał prawo spać w łożu cesarskim.*

R.K., *Cesarz*

Psów u Kapuścińskiego – nieprzeliczone zastępy: pojawiają się na cesarskich dworach i na brudnych podwórkach, na Syberii i w Uzbekistanie (*Imperium*), w Polsce (*Lapidaria*), w całej Afryce (*Heban*), w Luandzie – aż zatrzęsienie (*Jeszcze dzień życia*), nawet w wierszach („chciałbym / żeby wzleciał ptak / żeby zaszczekał pies")... Rasowe i „wielorasowe", dzikie i oswojone, pańskie i bezpańskie, wściekłe i milutkie...

A gdzie koty? Li tylko tam, gdzie – martwe, rozdęte, upieczone – stanowią tło głodu, pożogi, pobojowiska? O, są, nareszcie żywe (choć nie na długo, za chwilę rzucą się w ogień): w *Podróżach z Herodotem*.

Wolę koty niż psy, a to dlatego, że nie ma kotów policyjnych.

Jean Cocteau

Wyczytane w amerykańskiej prasie:

W czasie kampanii wyborczych doradcy od imydżu Partii Republikańskiej dbają, by na rodzinnych zdjęciach kandydatów nie zabrakło psa (jeśli, oczywiście, takowego posiadają). Pies bowiem jest według nich kwintesencją wierności, uczciwości i oddania. Stanowczo natomiast odradzają portretowanie się z kotem, bo kot utożsamiany jest z egoizmem, zdradą i chciwością.

Jak trudno wyrugować z ludzkiego umysłu (przecież niby coraz bardziej światłego) wiekowe stereotypy, przesądy i uprzedzenia. Gdyby tylko chodziło o te dotyczące zwierząt!

Bóg stworzył kota, by dać człowiekowi możliwość pogłaskania tygrysa.

Victor Hugo

Słynni miłośnicy i piewcy kociego piękna i charakteru: Baudelaire, Poe, Byron, Lovecraft, Apollinaire, T.S. Eliot, Hemingway, García Lorca, Borges, Pablo Neruda... niekończąca się lista.

Kogoś mi tu brakuje. O, już wiem: Kapuścińskiego, obdarzanego przy każdej sposobności przez Tigrusia (kota, który swojego czasu był łaskaw uznać mnie za swoją) wystarczającym zaufaniem, by dać się głaskać i pieścić w zamian za przymilne ocieranie się i symfonie mruczanda.

## 5

In memoriam Esther Benítez

Nie doceniamy, myślę, faktu, że znana nam światowa literatura tylko w połowie pisana jest przez autorów. W pozostałej części tworzą ją tłumacze.

R.K., To wy tłumaczycie świat

Kapuściński akurat docenia (i chwała mu za to), ale prawdą jest, że, przynajmniej w Hiszpanii, istnienie tłumacza często pomija się milczeniem. Nie tak dawno, lat temu osiem–dziesięć, w publikowanych w prasie (nawet specjalistycznej, literackiej) recenzjach książek obcych autorów – czy wręcz pod (przełożonymi przecież przez kogoś!) fragmentami jeszcze niewydanych, ale już zapowiedzianych dzieł – nazwisko tłumacza nie pojawiało się nigdy.

Nie można systematycznie zapominać o tej spowitej w mrok postaci, dzięki której, nie będąc poliglotami, możemy czytać dzieła twórców piszących w innych niż nasz językach.

Esther Benítez w TV

Niestrudzona bojowniczka o nieprzezroczystość tłumacza Esther Benítez (1937–2001) przez dziesięciolecia staczała bezkrwawe bitwy z naczelnymi, kierownikami działów literackich i krytykami. Zaczęła już w połowie lat sześćdziesiątych: pisała listy (prywatne i otwarte), wydzwaniała po redakcjach, wyrzucana drzwiami, wchodziła oknem... Na próżno. W roku 1983 stworzyła podsekcję tłumaczy w Stowarzyszeniu Pisarzy Hiszpańskich, w przekonaniu, że w kupie siła. Niestety – mylnym. Daleka od złożenia broni – a już popularna i z imponującym translatorskim dorobkiem z włoskiego i francuskiego – w końcu lat osiemdziesiątych rozpętała regularną wojnę o prawa tłumacza. Nie tylko o publiczne uznanie, ale również o *copyright*, o honoraria, o udział w zyskach ze sprzedaży książek... (Była również pomysłodawczynią inicjatyw pół żartem, pół serio, na przykład wysyłania krytykom pocztówek. Ci nieliczni, którzy w swych recenzjach literatury obcej wspominali o tłumaczu i efektach jego pracy, dostawali kartkę z różą, pozostali – z ostem).

W końcu w prasie coś jakby drgnęło, drgało nieśmiało jeszcze przez lat kilka, aż wreszcie rozedrgało się na dobre: dziś nieumieszczenie na szpaltach nazwiska tłumacza nie należy do dobrego tonu.

Do przeforsowania został opór radia i telewizji.

W katalońskiej telewizji (TV3, Canal 33, BTV i innych) są dwa opiniotwórcze programy o książkach (oczywiście nadawane ciemną nocą: któż by umieszczał programy o literaturze w czasie najwyższej oglądalności!?). Na jeden z nich, prowadzony przez młodych entuzjastów, nie

można narzekać – krytycy tylko niekiedy omijają nazwisko tłumacza, najczęściej zresztą (tuszę, że przez delikatność) gdy przekład pozostawia wiele do życzenia. Drugi, „O książkach", zwykł był tłumacza ignorować.
Do czasu.

Listopad 2005. „O książkach", poświęcony powieści Magdy Szabó *Zamknięte drzwi*. Długa i namiętna dyskusja o stylu, wartkości narracji itp. Słucham i uszom nie wierzę: o tłumaczu – ani słowa. Jedno z trojga: albo Szabó napisała powieść po hiszpańsku i po katalońsku, albo ta na oba języki przetłumaczyła się sama, albo wszyscy o niej dyskutujący władają nienaganną węgierszczyzną.

Krocząc śladami Benítez, spieniłam się (obficie) i wysmażyłam sążnisty mejl do kierownictwa programu, między Bogiem a prawdą, nie oczekując cudów, czyli odpowiedzi. Tymczasem odpowiedź nadeszła. Nazajutrz, i od szefa we własnej osobie. Szef kajał się, przepraszał i obiecywał, że to się więcej nie powtórzy. (Fakt: od obsobaczenia na planszach z informacją o omawianych książkach nazwisko tłumacza stoi jak się patrzy).

W *post scriptum* wyraził nadzieję, że nie odmówię uczestnictwa w planowanym programie o twórczości Kapuścińskiego.

A ja, naiwna, w pierwszej chwili myślałam, że to moja interwencja coś wskórała.

*Cały dzień dobiega przez okno muzyka. Łomot, ostre, nerwowe*
*rytmy, hałaśliwa, nudna, tępa jednostajność.*

R.K., *Lapidarium IV*

Z wywiadu z Beatriz de Moura (wydawcą, członkiem
jury Nagrody Księcia Asturii, kobietą, która jest uosobie-
niem prestiżu, elegancji, smaku i dobrego tonu):
– Co pani uważa za luksus?
– Ciszę.

„Barcelona jest jednym z najgłośniejszych miast w Europie!", biją na alarm władze miasta. Zrywa się więc z jezd-
ni starą nawierzchnię (samochody, nawet motocykle, nie
robią tyle hurkotu, ile maszyneria do remontowania dróg)
i kładzie się asfalt „dźwiękoograniczający". Żaden z rajców
nie wpadł jednak na pomysł ograniczenia decybeli wydo-
bywających się (dzień i noc!) z jadących (i – co gorsza –
stojących na światłach lub wręcz zaparkowanych) aut.

(Pozorna) sprzeczność: kocham muzykę (słucham Radio Clásica; chodzę do opery, na koncerty; zgromadziłam
dość pokaźną płytotekę), *ergo* – nienawidzę muzyki. Jest
wszędzie. W restauracjach (z wyjątkiem tych z *touch of
class*, elitarnych, luksusowych i bardzo drogich), kawiar-
niach i barach; w super- i hipermarketach, w większych
i mniejszych sklepach jedno- i wielobranżowych (z buta-

mi, samochodami, ubraniami, mydłem i powidłem, nawet w aptekach i księgarniach!), w banku i w metrze, na lotniskach i stacjach benzynowych, na ulicach i w podwórkach, za ścianą, nad sufitem i pod podłogą... Zwykle niewybredna rąbanka. Ogłuszająca i działająca na nerwy. A najgorsze, że – narzucona!

Jedyną ucieczką zdaje się przedzierzgnięcie się w tołstojowskiego pustelnika lub emigracja do Norwegii.

Na wystawie światowej w Hanowerze (2000) Norwegia zaprezentowała dźwiękoszczelny pawilon, w którym zwiedzający mogli napawać się... ciszą, najcenniejszym (według komisarza) bogactwem tego północnego kraju.

Gdyby tak móc pogodzić śródziemnomorski klimat z norweską ciszą!

Polska ma klimat bardziej norweski niż śródziemnomorski, za to muzyczne fajerwerki – iście barcelońskie (stwierdzam niepyszna, ilekroć jestem w Warszawie).

W jednym z wywiadów George Steiner przypisuje wszędobylstwo muzyki w dzisiejszej rzeczywistości („instalują nam głośniki nawet w windach") lękowi współczesnego człowieka przed pustką, *horror vacui*. Filozof zastanawia się, dlaczego tej (zbawiennej) próżni nie wypełnia się refleksją? Refleksja potrzebuje skupienia, a skupienie ciszy – rozumuje – i kończy swój wywód retorycznym pytaniem: Czyżby niska kultura masowa wyprała ludzi z potrzeby myślenia?

Oko jest dziełem doskonałym. Wystarczy je zamknąć, by hermetycznie odizolować się od niechcianych obrazów. Ucho – niedoróbka natury. Nie pomogą żadne zatyczki ani słuchawki. Przyćmią, ale nie odizolują. Dźwięk (hałas) wedrze się wszędzie: w mózg, w szpik, w trzewia.

## 7

*Mamy do czynienia ze sprzecznością niemożliwą do rozwikłania.*

R.K., *Powinności obywatela świata wielokulturowego*

Człowiek jest śmiertelny; Bóg – wieczny.
Człowiek jest ułomny; Bóg – doskonały.
Człowiek nie posiada daru wszechobecności; Bóg jest wszechobecny.
Wiedza, władza i moc człowieka są wielce ograniczone; Bóg jest wszechwiedzący, wszechwładny i wszechmocny.
„Bóg stworzył człowieka na swój obraz i podobieństwo".
Gdzieś tu tkwi błąd. Arystotelesie, Kartezjuszu, Leibnizu... Na pomoc!

Zaprzyjaźniona Kanadyjka opowiada mi swoją *USA adventure* (świetnie płatny, kilkumiesięczny kontrakt w amerykańskiej firmie z siedzibą bodaj w Denver, Colorado):
– palenie – zabronione (oby tylko w biurze, ale nie! we własnym, w tym przypadku wynajętym, mieszkaniu – też);

– nawiązywanie bliższych stosunków z kolegami w pracy – zabronione;

– komplementy – zabronione (dżentelmeńskie *Good morning, beautiful ladies!* nieuprzedzonego interesanta cudzoziemca o mało nie skończyło się na policji);

– zamykanie drzwi do gabinetu (rzadka potrzeba, bo prawie wszystkie ścianki działowe są ze szkła) – zabronione;

– telefony – na podsłuchu;

– kontakty międzyludzkie – na widoku;

– odwiedzane witryny internetowe i poczta elektroniczna każdego pracownika – pod codzienną kontrolą, itd., itp.

Niemniej jednak wszyscy z niekłamaną dumą powtarzali jej utarty slogan: *This is a free country!.*

Pogodzona z ojczystym zniewoleniem Kanadyjka (np. z wypominanym jej na każdym kroku zakazem posiadania broni palnej bez zezwolenia) nie zabiegała o przedłużenie intratnej umowy.

Z rzeczy utartych najmniej sprzeciwu zdaje się budzić kogel-mogel.

*Contradictio in adiectio* (utarte i wyłowione z hiszpańskiej, polskiej, rosyjskiej i amerykańskiej prasy):

– demokracja organiczna (ludowa, neoliberalna);

– dyskryminacja pozytywna;

– wirtualna rzeczywistość;

– sztuczna inteligencja;

– fikcja dokumentalna;

– lewicowy nacjonalizm;

– zdrowy antysemityzm (rasizm);
– umiarkowany fundamentalizm;
– słuszna ideologia (wiara);
– prawdziwa religia;
– ograniczone samostanowienie;
– inwigilowana wolność.

Są rzeczowniki, które organicznie nie znoszą przymiotników.

8

*Moja tłumaczka, mój tłumacz, moja autorka, mój autor – niezmiernie cenne są te osobiste znajomości i przyjaźnie.*

R.K., *Tłumacz – postać XXI wieku*

Mój autor, żona mojego autora – niezmiernie cenne są te osobiste przyjaźnie.

A.O.

Największy sprzymierzeniec tłumacza Kapuścińskiego – pani Alicja Kapuścińska.

Kiedy pracowałam nad przekładem *Imperium*, uzbierało mi się trochę zagwozdek, które tylko autor mógł rozstrzygnąć. Choćby rzeczy na pierwszy rzut oka tak błahych, jak narodowość niektórych postaci (Rosjanin? Polka? Ukrainiec?), od której wszakże zależała transliteracja (lub nie) ich imion. Ale Ryszarda, zatopionego po uszy w zupełnie już innym temacie, trudno było dopaść.

W takich chwilach niezawodnie przychodzi w sukurs pani Alicja. Już tydzień po przefaksowaniu pytań przysłała mi list rozwiewający wszystkie moje wątpliwości.

Warszawa, rok akademicki 2003/2004. Wykorzystuję urlop naukowy do pracy nad antologią *El mundo de hoy* (w której obok fragmentów wykładów i wywiadów znalazł się wybór z książek dotychczas w Hiszpanii niepublikowanych – na przykład *Sztywny z Buszu po polsku* – i która miała nosić podtytuł: *Nie tylko literacki autoportret reportera*, usunięty w ostatniej chwili przez wydawcę; a szkoda).

Przywiozłam z Barcelony wszystkie książki, od *Buszu...* po ostatni wydany tom *Lapidarium*, ale brakuje mi wykładów i, przede wszystkim, wywiadów. Z prośbą o nie wpadam jednak do państwa Kapuścińskich w niefortunnym momencie – Ryszard, który właśnie pracuje nad *Podróżami z Herodotem*, schodzi z pracowni do mieszkania jak po podwójnej zmianie w hucie: z podkrążonymi oczami, zlany potem, wycieńczony.

– Nie mam teraz głowy do twoich wywiadów! – ucina moje (fakt – w danej chwili wielce nietaktowne) nalegania.

– Agatko – odzywa się Alicja – przyjdź pojutrze, dobrze?

I to jeszcze jak dobrze! „Pojutrze" czekały na mnie cztery teczki uporządkowanych wywiadów i wszystkie opublikowane wykłady.

Nie wiem, co i w jakim stopniu trzeba mieć – *seny* czy *rauxę* – by kongenialnie tłumaczyć, ale jedno wiem na pew no: dla nas (Bożeny Zaboklickiej, Jerzego Sławomirskiego i jeszcze kilku innych Polaków, głównie Polek), przekładających na hiszpański i/lub kataloński, czyli na język obcy, dobry adiustator to prawdziwy skarb.

Mój jest bezcenny. Roberto Mansberger (bo to właśnie on cyzeluje każdy mój przekład), poza tym że jest profesorem filologii, literaturoznawcą, poliglotą i człowiekiem o niesłychanej erudycji, ma wielką kulturę języka, bezbłędne wyczucie słowa i fenomenalny słuch (tak, jakże ważny w tłumaczeniu literatury – słuch!).

Trafiło mi się jak ślepej kurze ziarnko (jak to przetłumaczyć?).

**Agata Orzeszek**, rocznik 1953. Ukończyła filologię iberyjską na Uniwersytecie Warszawskim w 1977 r. Od 1978 r. mieszka w Hiszpanii. Wykłada literaturę rosyjską na UAB (Uniwersytecie Autonomicznym Barcelony). Zajmuje się też krytyką literacką, popularyzując literaturę polską i jej autorów. Tłumaczy na hiszpański od ponad 20 lat. Przełożyła m.in. *Popiół i diament* Jerzego Andrzejewskiego, *Pannę Nikt* Tomka Tryzny, *Krzyż* Marka Hłaski, *Organistę z Ponikły* Henryka Sienkiewicza i Ryszarda Kapuścińskiego: *Szachinszacha* (1987), *Cesarza* (1989), *Wojnę futbolową* (1992), *Imperium* (1994), *Heban* (2000), *Lapidarium IV* (2003), *Jesz-*

cze dzień życia (2003), *Podróże z Herodotem* (2006). Wydała antologię *El mundo de hoy* (2004), której jest tłumaczką i autorką wyboru. Obecnie pracuje nad przekładem esejów *Ten Inny*, które ukażą się jesienią 2007 r. Za zasługi dla kultury polskiej została odznaczona Krzyżem Kawalerskim Orderu Odrodzenia Polski.

TAPANI KÄRKKÄINEN

# NA GRANICY

Z jakiegoś powodu nie znoszę i boję się rozmów telefonicznych w obcym języku. W grudniu 1992 roku w Warszawie, gdy wykręcałem numer Ryszarda Kapuścińskiego, mój stres był jeszcze większy niż zwykle. Musiałem zadzwonić i powiedzieć, że mam tłumaczyć na fiński jego dopiero co powstającą książkę *Imperium* i chciałbym się dowiedzieć, kiedy spodziewa się ją skończyć, żebym mógł ją zabrać do Helsinek.

Byłem wówczas początkującym tłumaczem, nie zdążyłem jeszcze nawet ukończyć studiów slawistycznych. Myśl, że oto przyjdzie mi tłumaczyć ważną książkę sławnego pisarza, napawała mnie zgrozą. A jeszcze bardziej przerażało mnie to, że mam zadzwonić i przedstawić się w swojej koślawej polszczyźnie, mówiąc: „Dzień dobry, nic jeszcze z polskiego nie tłumaczyłem". Na dodatek miałem wycisnąć z niego informację, czy zdążę dostać całość książki, zanim wyjadę z Warszawy, czyli w ciągu najbliższych paru tygodni. Co za sytuacja: tłumacz żółtodziób poszturchuje sławnego na cały świat Autora, by ten pospieszył się z pisaniem!

Kilka dni później siedziałem u Kapuścińskiego w jego pracowni na poddaszu i popijałem herbatę. Z wizyty, która zresztą upłynęła w nader sympatycznej atmosferze, pozostało mi ogólne uczucie pogubienia. Przyszedłem, mając w głowie setki pytań dotyczących *Imperium*, tymczasem nasza rozmowa raz po raz koncentrowała się na mnie i moim kraju. Przy każdym kolejnym spotkaniu z Kapuścińskim zdumiewało mnie jego pełne skromności zainteresowanie drugim człowiekiem i jego historią, a także to, jak uważnie potrafi słuchać rozmówców o znacznie bardziej ograniczonych niż jego własne horyzontach. Tę samą atmosferę uważnego słuchania i szacunku dla drugiego człowieka rozpoznawałem później wielokrotnie w jego książkach. Podejrzewam, że jest to umiejętność, bez której w ogóle nie sposób zostać dobrym dziennikarzem.

Sympatyczny, niespieszny sposób bycia Kapuścińskiego zrobił też wrażenie na fińskiej dziennikarce Anu Nousianen, która kilka lat temu przeprowadziła z nim wywiad dla „Helsingin Sanomat", największego dziennika w Finlandii. Nousianen opisuje, jak Kapuściński przyjechał po nią (!) na Okęcie: „I oto widzę go. Nie za wysoki i nie za niski, nie za gruby i nie za chudy. Nieco znoszona kurtka z podszewką, pod nią starannie wyprasowana jasnoniebieska koszula, zwyczajne szare spodnie. To samo ostre spojrzenie co na fotografiach z tylnych okładek. Czy w ten właśnie sposób – prosto i przenikliwie – spoglądał na despotów i dyktatorów, których spotykał przez całe pięćdziesiąt lat swojej kariery? Na szczęście wzrok łagodnieje i oto Ryszard Kapuściński z uśmiechem podaje mi rękę". Po chwili pisarz wiózł ją swoim małym starym golfem do tego samego pokoju na poddaszu, w którym sam kiedyś siedziałem. Czytając jej reportaż, przypomniałem sobie, jak na zakończenie wizyty z trudem udało mi się przekonać Kapuścińskiego, że naprawdę trafię do domu i że nie musi mnie odwozić. Mimo mojego natręctwa zdołał dokończyć *Imperium* jeszcze w styczniu 1993 roku. Dostałem maszynopis przed wyjazdem i zaraz po powrocie przystąpiłem do pracy. W czerwcu zaniosłem gotowy przekład do wydawnictwa i książka ukazała się na początku jesieni tego samego roku. Tak zaczęła się moja kariera tłumacza.

Fiński przekład *Imperium* był jednym z pierwszych na świecie. Do tej pory ukazały się już trzy jego wydania, ostatnie w 2005 roku. To niemało jak na książkę, której autor nie jest znany szerszej publiczności, a tematyka nie należy do najpopularniejszych. To również sporo, jeśli wziąć pod uwagę, że wydawnictwo Like, w którym rzecz się ukazała, w 1993 roku było jeszcze niewielkie i nie mogło zapewnić odpowiedniej promocji. Można więc powiedzieć, że *Imperium* zawdzięczało całą swoją popularność własnym walorom.

Książka ta, podobnie zresztą jak cała twórczość Kapuścińskiego, reprezentuje rzadki w Finlandii gatunek literacki. Złotą epoką fińskiego reportażu były społecznie zaangażowane lata 60. i 70. Wtedy wiele pisano o problemach wsi fińskiej, o migracji do miast, o bezdomnych i innych marginalizowanych grupach społecznych. Później ambitniejsze reportaże ukazywały się tylko w niedzielnych wydaniach dzienników i w niektórych czasopismach. Podobnie jak w innych krajach, dominująca tendencja sprzyjała formom coraz krótszym, zwięźlejszym i bardziej powierzchownym.

Finlandia leży na odległych rubieżach Europy. Wprawdzie już w latach 30. moderniści z grupy Tulenkantajat („Nosiciele ognia") wystąpili z hasłem „Otworzyć okna na Europę!", w rzeczywistości jednak nie dawało się ich otwierać jakoś za często. Rzecz znamienna, że i kontakty ze Wschodem pozostały mocno ograniczone. Rosja to wielki sąsiad, ale zarazem wielki nieznajomy; to Inny, który budzi nienawiść, lęk i pogardę. W XIX wieku Finlandia przeżyła okres narodowego przebudzenia i rozkwitu kulturalnego jako związane z Rosją Wielkie Księstwo, ale po roku 1917, gdy uzyskała niepodległość, granica wschodnia uległa uszczelnieniu. Lata międzywojenne upłynęły w klimacie zatwardziałego nacjonalizmu; później, po przegranej wojnie, politykę zagraniczną trzeba było w znacznej mierze podporządkować interesom ZSRR, jednakże przyjazne stosunki międzypaństwowe nie objęły zwykłych ludzi. Oficjalnie między obydwoma narodami panowały przyjaźń i wzajemne zaufanie; wschodnia granica pozostawała wszakże zamknięta i, jak wszystkie pozostałe granice imperium, wyznaczały ją gęste zasieki z drutu kolczastego. Jedynym niemal sposobem na to, by rzucić okiem na codzienne życie wschodniego sąsiada, był udział w wycieczce do Leningradu, Tallina lub Moskwy zorganizowanej przez Inturist – krótkiej i ściśle kontrolowanej.

W Finlandii *Imperium* było jedną z pierwszych książek wydanych po rozpadzie ZSRR, w których wizerunek wschodniego sąsiada nie ograniczał się do placu Czerwonego. Spotkania ze zwykłymi ludźmi na Kaukazie czy na Syberii to była całkowita nowość. Nigdy też przed Kapuścińskim nie ukazał się w Finlandii równie bezpośredni i osobisty tekst o wielkim głodzie na Ukrainie w latach 30.

O sile oddziaływania tej książki świadczy również i to, że jej tytuł przewija się po internetowych blogach i forach dyskusyjnych, przy czym można odnieść wrażenie, że znaczna część wypowiadających się na jej temat to ludzie młodzi. Właściciel nicka Mikhail78 pisze: „Sam już nie wiem, który raz czytam *Imperium* Kapuścińskiego. Polecam wszystkim, którzy interesują się historią ZSRR". *Imperium* to również ulubiona lektura podróżna osobnika o nicku MG Soikkeli: „Tym razem w moim plecaku wylądowało tylko *Imperium* Kapuścińskiego. Chyba będę musiał złowić po drodze jeszcze coś do czytania...".

Wygląda na to, że sposób, w jaki Kapuściński pisze o Związku Radzieckim, nie przestaje poruszać czytelników, jakkolwiek książka niebawem skończy piętnaście lat. „Właśnie czytam *Imperium* Ryszarda Kapuścińskiego (...). W Finlandii wszystko jest takie powierzchowne, że trudno pojąć całe to bogactwo historycznych znaczeń, jakie wiążą się z każdym miejscem" (villeq).

Väinö Immonen, recenzent z dziennika „Savon Sanomat", już 17 października 1993 roku stwierdził, że „pisane naprędce książki, w których przepowiadano przyszłość Rosji, są dziś makulaturą; w istocie były nią już w chwili, gdy się ukazały. Pod tym względem książka Kapuścińskiego okazuje się szczególnie wartościowa; posiada mocną, wyrazistą linię, która nie daje się sprowadzić do chaosu doraźnych zdarzeń, toczących się na powierzchni". Wielu fińskich recenzentów uznało *Imperium* za klasykę zaraz po ukazaniu się książki; szczególne zainteresowanie wzbudziły fragmenty poświęcone historii Azji Środkowej i Kaukazu.

Książka poruszała też Finów w sposób bardziej osobisty. Rockman Juice Leskinen w swoim felietonie na ła-

mach pisma muzycznego „Soundi" napisał: „Przeczytaj-
cie koniecznie. Ta książka mogłaby być książką o Finlandii". Leskinen trafnie streścił uczucie, które bez wątpienia
towarzyszyło niejednemu fińskiemu czytelnikowi *Imperium*, a w którym mieszają się zgroza i niedowierzanie:
gdyby wojna zakończyła się inaczej, ten sam los mógłby
stać się udziałem Finlandii. Podejrzewam, że Finom star-
szej daty szczególnie bliski musiał być początkowy fragment książki, w którym jest opisany koszmar okupacji ra-
dzieckiej w Pińsku. Gdyby Armia Czerwona wkroczyła do
Helsinek, wszystkie fińskie dzieci też by się dowiedziały, że
pierwsza litera alfabetu to „s" jak Stalin.

W roku 2002 ukazał się w moim tłumaczeniu *Heban*
(po fińsku *Eebenpuu*), a na wiosnę 2006 *Cesarz* (po fińsku *Keisari*). Te książki znalazły nieco innych czytelników
niż *Imperium*. Wydawnictwo Like, w którym wyszły, miało
pierwotnie charakter niedochodowy i tradycyjnie skupia
się na kwestiach związanych ze sprawiedliwością społecz-
ną, jak problemy Trzeciego Świata, imperializm, feminizm
i mniejszości seksualne. Dlatego też *Heban* i *Cesarz* wzbudziły niemałe zainteresowanie w kręgu młodych działa-
czy na rzecz Trzeciego Świata i ogólnie w środowiskach
wolontariackich. Często widywałem też książki Kapuścińskiego w siedzibie państwowej rozgłośni Yleisradio – na
regałach, a nawet na biurkach redaktorów.

Tłumaczenie Kapuścińskiego to zawsze poważne wy-
zwanie; mimo to cieszę się za każdym razem, gdy wydawca proponuje mi przekład kolejnej książki. Czuję się wtedy, jakbym znowu spotykał starego znajomego. Od czasu
pracy nad *Imperium* zdążyłem zapoznać się z rytmem Ka-

puścińskiego i subtelną grą kryjących się między wierszami sensów. Z każdą następną książką stopniowo nabieram pewności siebie.

Niektórzy mówią, że przekład w ogóle jest zadaniem niemożliwym. Isaac Bashevis Singer uważał, że książka w tłumaczeniu „traci" 40 procent, w związku z czym pisarz, który mierzy w rynek międzynarodowy, powinien pisać o 40 procent „więcej". Jestem znacznie większym optymistą, ponieważ w Finlandii poziom literatury tłumaczonej z języków obcych – a więc również samych przekładów – od kilkudziesięciu lat stale się poprawia. Szczególnie dobrze to widać w przypadku literatury *non-fiction*; powiedziałbym wręcz, że jest wiele książek, które w fińskim tłumaczeniu są lepsze niż w oryginale. Wynika to nie tylko z wysokich umiejętności tłumaczy, ale niestety również stąd, że prace oryginalne są dziś redagowane gorzej niż kiedyś. Tłumacz często ma do czynienia z marnym, pełnym błędów językiem. W fińskich przekładach literatury *non-fiction* obyczaj nakazuje poprawianie drobnych i rzucających się w oczy błędów – oczywiście po konsultacji z autorem.

Trzeba podkreślić, że tłumacz Kapuścińskiego nie ma podobnych kłopotów. Tkanka faktograficzna jest w jego książkach tak gęsta, że starczy wyłowić sens poszczególnych elementów i terminów. Niekiedy jednak i to bywa zadaniem niełatwym – przykładem *Heban*, gdzie dosłownie roi się od wyrazów i sformułowań związanych z afrykańskimi obyczajami, afrykańską geografią i przyrodą.

W rozdziale poświęconym Zanzibarowi bardzo pracochłonna z punktu widzenia tłumacza okazuje się choćby tak prosta rzecz jak wyliczanka otaczających Afrykę wysp: *Niektóre są tak małe, że rejestrują je tylko drobiazgo- we mapy nawigacyjne, ale inne są już na tyle duże, że można je odnaleźć w zwykłych atlasach. Po zachodniej stronie konty- nentu leżą: Dżalita i Kerkena, Lampione i Lampedusa, Wy- spy Kanaryjskie i Zielonego Przylądka, Gorée i Fernando Po, Książęca i Świętego Tomasza, Tristana da Cunha i Annobón, a po stronie wschodniej Szaduan i Gifatun, Szuakin i Dah- lak, Sokotra, Pemba i Zanzibar, Mafia i Amiranty, Komo- ry, Madagaskar i Maskareny.* Tłumaczeniu podlega prze- cież wszystko, również nazwy własne. Chociaż więc „Lam- pione" i „Lampedusa" mają po fińsku i po polsku tę samą pisownię, również i one zostały przesiane przez gęste sito tłumacza i przełożone na fiński – na tej samej zasadzie, w myśl której „Zielony Przylądek" zmienił się w *Kap Verde*. Aby przełożyć całą tę powabną listę wysp na fiński, mu- siałem zaopatrzyć się w dokładny atlas geograficzny i szkło powiększające, no i trochę poślęczeć nad stosownymi lek- sykonami.

Pewna znana fińska tłumaczka po czterdziestu latach pracy stwierdziła, że miło byłoby się dowiedzieć, czym właściwie jest przekład. To samo uczucie zadziwienia to- warzyszy i mojej pracy, przy czym mogę się zaledwie do- myślać, na czym polega jej istota. Wiem tylko tyle, że sto- ję w rozkroku między dwiema wspólnotami języka – fińską i polską – i w jakiś sposób przemieszczam utwór z języka polskiego do fińszczyzny. Ale w jaki sposób – to rzeczywi- ście pozostaje wielką tajemnicą!

Nieco mi ulżyło, gdy sam Kapuściński zaczął ze mną rozmawiać o tłumaczach i przekładach. Ma on ogrom- ny szacunek do swoich tłumaczy i jest zdania, że tłumacz w gruncie rzeczy pisze książkę na nowo. Nie istnieje coś takiego jak dosłowna odpowiedniość znaczeń; dlatego też praca tłumacza w żadnym wypadku nie polega na zastępowaniu kolejnych wyrazów odpowiednikami z drugiego języka. (Wielu tłumaczy woli nawet nie korzystać z dwujęzycznych słowników, bo nie chcą, by autor słownika miał wpływ na ich dobór wyrazów). Tłumacz pisze utwór na nowo – czy może raczej tworzy całkiem nowy utwór, który pozostaje w pewnym związku z oryginałem. Kiedy recenzent pisze, że autor użył celnych sformułowań, w rzeczywistości stwierdza, że użył ich tłumacz; ktoś inny mógłby bowiem przełożyć celne sformułowania autora zupełnie inaczej. Przekład jest pewną wersją tekstu oryginalnego – wersją stworzoną przez tłumacza. Dlatego praca tłumacza wymaga takiego samego profesjonalizmu i takiej samej pomysłowości jak praca muzyka: obaj zgłębiają tekst cudzego autorstwa, by zinterpretować go po swojemu.

Tłumacz porusza się między autorem i czytelnikiem, ale także na granicy dwóch kultur. Książki Kapuścińskiego czytane są w znacznej mierze poza Polską, jednakże w jego tekstach raz po raz dają o sobie znać polska kultura, polska literatura i polskie wykształcenie. Zawsze wystrzegałem się tłumaczenia poezji – tymczasem w *Hebanie* pojawiają się cytaty ze Staffa! W pierwszym rozdziale *Imperium* Kapuściński wspomina, jak rosyjscy okupanci w Pińsku ostrzelali z działa kościół stojący na placu Trzeciego Maja. Tłumacząc tę książkę, uznałem, że fiński czytelnik nie zrozumie tego zdarzenia w całej rozciągłości, jeżeli nie wyjaśnię w przypisie, jakie znaczenie ma w Polsce data 3 maja. Dziś już zrezygnowałbym z przypisu i bardziej zaufał domyślności czytelnika; samo ostrzeliwanie kościelnej wieży jest czynem dostatecznie bulwersującym i aby to zrozumieć, nie trzeba dodatkowej wiedzy o dziejach Polski i polskich świętach narodowych. Zachowałbym natomiast przypis o Nikiforze w rozdziale *Południe, 67* – fiński czytelnik naprawdę nie musi wiedzieć, kim był Nikifor, toteż bez przypisu zestawienie Nika Pirosmanaszwilego z jego osobą pozostałoby cokolwiek zaszyfrowane.

Tłumaczenie literatury z języków indoeuropejskich na fiński, w znacznie większym stopniu niż z jednego języka indoeuropejskiego na drugi, wiąże się z tłumaczeniem sposobów myślenia. Fiński, jako jeden z niewielu języków europejskich, nie jest spokrewniony z polskim, niemieckim, włoskim, angielskim czy rosyjskim; należy wraz z estońskim i węgierskim do grupy ugrofińskiej. Bliskość wzajemnych wpływów – głównie z językiem szwedzkim – sprawiła, że język Finów przyswoił sobie liczne konstrukcje indoeuropejskie, a zwłaszcza germańskie; mimo to po fińsku o wielu rzeczach myśli się inaczej niż w językach indoeuropejskich. Fiński nie posiada rodzaju gramatycznego i polskim zaimkom osobowym *on/ona* odpowiada jeden tylko, neutralny pod względem rodzaju zaimek *hän*. Powiedziałbym też, że fiński jest z natury powolniejszy i bardziej ściszony niż polski i jego indoeuropejscy krewni.

Ale problem zaimków i odpowiedników leksykalnych to kwestie najbardziej powierzchowne. Największym wyzwaniem w przekładzie jest dla mnie tłumaczenie rytmu. A właśnie rytm u Kapuścińskiego jest czymś szczególnie ciekawym i wymagającym. Niekiedy przybiera postać zwięzłą i rzeczową, zbliżając się do języka serwisów informacyjnych, innym znów razem Kapuściński nadaje swemu pisarstwu rytm swobodny, czuły i bardzo literacki. Po-

ważną trudność sprawiały mi ciągi przymiotników, za pomocą których Kapuściński stara się oddać istotę rzeczy,
jak gdyby kolejno wypróbowując smak każdego słowa.
Problem rytmu okazał się szczególnym wyzwaniem
przy pracy nad *Cesarzem*. Jeden z często stosowanych w tej
książce manewrów językowych opiera się właśnie na po-
wtórzeniach, synonimach i wyliczaniu słów bliskoznacz-
nych. „Dotąd było się człowiekiem pałacu, a więc kimś
*ważnym, wysuwanym, wymienianym, kształtującym, wpły-
wającym, szanowanym i słuchanym*". Albo: „Teraz trzeba
było wytrwałością i determinacją tak manewrować w tłu-
mie, tak *się prześlizgiwać i przeciskać, tak dobijać i dopy-
chać*, aby coraz to podsuwać swoją twarz". W trzeciej części książki, kiedy Hajle Sellasje traci władzę, również język kruszy się i osobliwie dziecinnieje: „Tak zawsze jakoś
minister kierował, że wszystko na sukces wychodziło i dobrze było, a baliśmy się, że gdyby ministra owego nie stało,
wnet by smutkiem powiało, co się potem sprawdziło, kiedy nam go ubyło". Przekład tych zabawnych rymów wymaga śmiałości: trzeba odejść od tekstu oryginału, by uzyskać stylistycznie i rytmicznie pokrewny efekt za pomocą
tych środków, jakie oferuje fińszczyzna.

Osobny problem przy tłumaczeniu *Cesarza* stanowiły stylistyczne archaizacje Kapuścińskiego, odwołujące
się do ozdobnej i pełnej dostojeństwa polszczyzny barokowej. Wyobrażam sobie, że tłumacz angielski czy włoski przed przystąpieniem do pracy może wzbogacić swoje
wyczucie odpowiednich rejestrów języka, czytając rodzi-
mą literaturę barokową. Tłumacz fiński ma zupełnie inną
sytuację, bo też w epoce baroku w ogóle nie pisano nic
po fińsku! Teksty biblijne zaczęto tłumaczyć na fiński już

w XVI wieku, a i w ciągu następnych dwóch stuleci było paru śmiałków, którzy używali tego języka w piśmie, ale jako medium literatury, nauki i myśli zaistniał on dopiero w wieku XIX, wraz z rozwojem ruchu narodowego. Nie istnieje więc coś takiego jak barokowa fińszczyzna.

Dlatego usiłując tłumaczyć zastosowane w *Cesarzu* archaizacje, musiałem odwołać się do zupełnie innych wzorców. Sięgnąłem do Biblii, a przede wszystkim do prawosławnych tekstów liturgicznych. Wiele rozwiązań rytmicznych, stylistycznych i leksykalnych, jakie tam znalazłem, przydało mi się, gdy musiałem oddać opisaną przez Kapuścińskiego rzeczywistość etiopskiego dworu, jego skrajną hierarchiczność i stopniowy rozpad.

Za każdym razem, gdy mam tłumaczyć jakąś książkę i tuż przed rozpoczęciem pracy czytam ją raz jeszcze, myślę: „W życiu sobie z tym nie poradzę". A kiedy przekład jest gotowy, za każdym razem myślę: „Poradziłem sobie!". Tak było i z *Cesarzem*, choć początkowo byłem przeświadczony, że wziąłem się za książkę nieprzetłumaczalną. Chwila euforii szybko jednak mija – to także stały element pracy tłumacza. Nigdy nie mam odwagi zajrzeć do świeżo wydanej książki; robię to dopiero po dłuższym czasie, a i wówczas przeglądam ją nader lękliwie. Ale zwykle ma się już wtedy na warsztacie kolejne tłumaczenie, a wraz z nim nowe wspaniałe problemy i wyzwania.

*przełożył Łukasz Sommer*

**Tapani Kärkkäinen**, rocznik 1962, jest tłumaczem (także przysięgłym) i dziennikarzem. Studiował filologię klasyczną, ale po rocznym pobycie w Krakowie w 1987 r. przeniósł się na slawistykę z językiem polskim jako głównym. Jest autorem książki o historii Cerkwi prawosławnej oraz przewodników turystycznych po Warszawie i Krakowie. Przygotował (razem z Eero Balkiem) antologię środkowoeuropejskich tekstów kawiarnianych, w której znalazły się utwory: Tadeusza Boya-Żeleńskiego, Antoniego Słonimskiego, Julii Hartwig. Przełożył m.in. *Tango* Sławomira Mrożka, *Kabaret metafizyczny* Manueli Gretkowskiej, *Dom dzienny, dom nocny* Olgi Tokarczuk, *Jakbyś kamień jadła* Wojciecha Tochmana. Prowadzi strony internetowe o Polsce: www.saunalahti. fi/tapank/, gdzie można znaleźć informacje o literaturze polskiej i Ryszardzie Kapuścińskim, którego tłumaczy od piętnastu lat. Mieszka w Helsinkach.

Martin Pollack

# Trzy podziękowania i jeden ukłon

## Prolog

Stosunek tłumacza do jego autora często wyrasta z czegoś ulotnego, z przypadków, na które ani tłumacz, ani autor nie mają wielkiego wpływu. Decyzje bowiem, nieprzejrzyste i trudno zrozumiałe, podejmują z reguły inni: agenci, specjaliści od promocji książki, menedżerowie wydawnictw, którzy z uporem tkwią w przekonaniu, że życie literackie podlega tym samym zasadom, co dowolne przedsięwzięcie handlowe i że można je planować oraz sterować nim za pomocą reklamy czy innych strategii marketingowych. To oczywiście infantylna, błędna wiara, porównywalna z poglądem, że świat ma kształt plastra. Otóż literatura nie jest – Bogu dzięki – czymś w rodzaju domu towarowego lub supermarketu, którym można racjonalnie zarządzać, posługując się programem komputerowym. Jak wynika już z pobieżnej lektury kolumn gospodarczych w gazecie, gdzie drukuje się listy bankrutów, racjonalne planowanie nie funkcjonuje bez zarzutu nawet w odniesieniu do supermarketów. Dlaczego miałoby zadziałać na polu literatury? A więc nie działa. Autorzy i tłumacze intuicyjnie o tym wiedzą, dawno jednak pogodzili się z faktem, że ważne rozstrzygnięcia zapadają ponad ich głowami; w najlepszym razie zbywa się ich protekcjonalnie wyrozumiałym gestem – jak dzieci, które swoimi nierozsądnymi zachciankami nadwerężają nerwy dorosłych.

Potęga przypadku w literaturze. Odczuwamy ją na każdym kroku także my, tłumacze. Dlaczego należy przełożyć akurat tego autora, a nie jakiegoś innego? I dlaczego wyróżniono tym zadaniem nas, a nie kolegę, który ani trochę nie ustępuje nam pod względem biegłości i zasług? Nawet jeśli autorzy i tłumacze stykają się ze sobą mocą przypadku, to często taki raczej pragmatyczny kontakt przeradza się później w ścisły, wykraczający poza płaszczyznę zawodową związek, ba, przyjaźń – zwłaszcza kiedy tłumacz przekłada więcej niż tylko jeden tytuł danego autora. Z ciągłości wyrasta zaufanie, niekiedy wręcz familiarna zażyłość; jako tłumacze mamy wtedy skłonność do zaborczości i mówimy o „naszym” autorze: spotkałem się ze „swoim” autorem, pracuję właśnie nad nową książką „mojego” autora...

I biada, jeśli ten, kogo nazywamy tak poufale, będzie nam niewierny i poszuka sobie innego tłumacza albo, co zdarza się częściej, nie wytoczy armat, by zaprotestować, kiedy wydawnictwo da jego następną książkę komu innemu. Odczuwamy to jako głęboką zniewagę, która jeszcze długo będzie nam doskwierać. Tłumacze potrafią chować urazę jak stare słonie. Jeśli natomiast wszystko idzie dobrze, a między autorem i tłumaczem panuje harmonia, to nic nie stoi na przeszkodzie długoletniej, owocnej współpracy. Tak właśnie jest z Ryszardem Kapuścińskim i ze mną.

Książce Ryszarda zawdzięczam swój pierwszy apetyt na przekład. W tamtym czasie zaczynałem pracować nad własną książką, toteż nie umiem powiedzieć, czy najpierw zostałem autorem czy tłumaczem; działo się to równocześnie, obie książki ukazały się też niemal w tym samym czasie, w roku 1984. Nie byłem już bardzo młody, miałem bądź co bądź czterdzieści lat – całkiem sporo jak na debiut, którego zresztą nie planowałem. Powiedziałbym, że mi się „przydarzył". Nieszczęsny, wręcz absurdalny zbieg nieprzewidzianych okoliczności nagle wytrącił mnie z utartych kolein i zmusił do rozważenia alternatyw. Dopiero patrząc wstecz, potrafię powiedzieć, jak się cieszę z ówczesnego rozwoju wypadków – choć wtedy nie miałem powodów do radości. Był rok 1980.

Pierwsze podziękowanie

Dlaczego latem owego bogatego w wydarzenia roku uznano mnie za osobę w Polsce niepożądaną – *persona non grata*, jak to się mówi w subtelnym języku dyplomatów – a następnie wydalono z kraju, nie wiem do dzisiaj. Nikt nie czuł się w obowiązku poinformować mnie o tym, ani władze polskie, ani strona austriacka, która zresztą nie uczyniła nic albo prawie nic, aby mi pomóc, co nasuwa podejrzenie, że w dyplomatycznych kołach wiedeńskich nadal żywy jest duch Metternicha. Dla wyjaśnienia: kanclerz Clemens Wenzel Lothar książę Metternich (1813–1859) cieszy się w Austrii wątpliwą sławą człowieka, który powołał do życia wymyślny aparat policyjno-szpiclowski, ochoczo kooperujący z autokratycznymi władcami innych państw, zwłaszcza z carem rosyjskim – „żandarmem Europy" – a celem tej kooperacji było tłumienie w zarodku wszelkich dążeń wolnościowych. Dopiero wiosną 1989 roku, niedługo przed tym jak komunistyczny reżim w Polsce ostatecznie wylądował na Marksowskim śmietniku historii, zdjęto ze mnie uciążliwe odium: przestałem być *persona non grata*, co zawdzięczałem oczywiście nie wysiłkom dyplomatów austriackich, lecz interwencji niemieckiego magazynu „Der Spiegel", dla którego od 1987 roku pracowałem jako korespondent.

*Tempi passati.* Wszystko to zdarzyło się dawno i nie byłoby powodu odgrzebywać tych spraw, gdyby ów zakaz wjazdu do Polski nie spowodował zasadniczego zwrotu w moim życiu zawodowym. W tamtych latach byłem czynnym dziennikarzem i publicystą, najpierw jako odpowiedzialny (jedyny zatrudniony na etacie) redaktor lewicującego miesięcznika „Wiener Tagebuch", potem jako wolny strzelec. Bardzo możliwe, że to z powodu mojej aktywności w tym czasopiśmie umieszczono mnie w Polsce na czarnej liście, gdyż „Wiener Tagebuch" reprezentował linię eurokomunizmu (który zresztą też wylądował na wspomnianym śmietniku). Przekazywałem do pisma częste korespondencje z Polski w ścisłej konspiracji, rzecz jasna, ponieważ eurokomuniści uchodzili w oczach polskich komunistów, posłusznych instrukcjom wielkiego sowieckiego brata, za wrogów ideologicznych gorszych jeszcze niż najniebezpieczniejszy wróg klasowy. Od czasu do czasu tłumaczyłem też polskie teksty, nie tyle literaturę w ścisłym sensie, ile analizy i eseje polityczne autorów krytycznych wobec reżimu – drukowaliśmy je w „Wiener Tagebuch", to zaś naturalną koleją rzeczy nie mogło się podobać w Polsce oficjalnej. Mimo to przez całe lata nie miałem problemów z warszawską władzą. Oczywiście wiedziała ona dokładnie, czym się zajmuję; wiedziała o mojej aktywności w złowrogim „Wiener Tagebuch" (jego współpracownicy byli w większości dawnymi komunistami, którzy w 1968 roku odeszli z partii lub zostali z niej wyrzuceni), wiedziała o korespondencjach z Polski, o przekładach tekstów krytycznych wobec reżimu. Ale do lata 1980 roku wydawało się, że nikomu to nie przeszkadza. Kiedy wybuchły strajki na wybrzeżu, „Der Spiegel" wysłał mnie do Polski jako korespondenta. W tamtym czasie jedynie luźno współpracowałem z redakcją, ta posada oznaczała więc dla mnie wielką szansę. Zaraz po przyjeździe do Warszawy zostałem zatrzymany, uznany za osobę niepożądaną i wydalony z kraju. Był to ciężki cios. W kręgach wtajemniczonych cieszyłem się wówczas reputacją eksperta do spraw polskich – jaką jednak wartość przedstawia sobą taki ekspert, przed którym nagle zamykają się drzwi, którego wpisuje się na czarną listę? Zakaz wjazdu zmusił mnie do śledzenia wydarzeń wczesnych lat osiemdziesiątych – strajków na wybrzeżu, narodzin „Solidarności", stanu wojennego, protestów i masowych prześladowań – z dystansu, a swoje informacje musiałem czerpać z drugiej i trzeciej ręki. Dla dziennikarza to katastrofa. Z perspektywy czasu mogę patrzeć na owe sprawy mniej emocjonalnie.

Te okoliczności kazały mi poszukać innego poza dziennikarstwem pola działań i znalazłem je w przekładzie literackim. Gdyby nie zakaz wjazdu do Polski wydany przez władze komunistyczne – zakładam, że z inspiracji Służby Bezpieczeństwa – być może nigdy nie wpadłbym na pomysł zajęcia się literaturą.

Niechaj zatem, jakkolwiek dziwnie to zabrzmi, jakiś nieznany mi jegomość z tej instytucji (a może kilku, może też jakieś damy) przyjmą moje pierwsze podziękowanie. Pomogli mi zdecydować się na literaturę. Niezbadane są czasem ścieżki, którymi podąża władza, a to, co na koniec osiąga, w wielu przypadkach stanowi dokładne przeciwieństwo tego, co osiągnąć zamierzała. Warto czasem uprzytomnić to sobie, bo płynie stąd jakaś pociecha.

## Drugie podziękowanie

Drugie podziękowanie, tym razem rzeczywiście serdeczne, chciałbym złożyć na ręce austriackiej dziennikarki, autorki i tłumaczki Eriki Fischer. Ona także przyczyniła się do tego, że zająłem się przekładem literackim – przede wszystkim książek Ryszarda Kapuścińskiego. I tym razem pewną rolę odegrał osobliwy przypadek. Erica tłumaczyła wtedy dla niemieckiego wydawnictwa Kiepenheuer & Witsch, między innymi utwory amerykańskiej feministki Kate Millet, i pewnego dnia poproszono ją, aby przełożyła z angielszczyzny książkę niejakiego Ryszarda Kapuścińskiego pod tytułem *The Emperor* – książkę, która w Stanach wzbudziła sensację. Erica przeczytała ją i wpadła w zachwyt (sama zresztą jako pisarka uprawia gatunek dokumentalny). Nazwisko autora wprawiło ją jednak w zakłopotanie, rzut oka na kartę tytułową nie rozwiewał wątpliwości. Kapuściński był przecież nie Amerykaninem, lecz polskim autorem, a nowojorska edycja – przekładem, notabene wyśmienitym. W przeciwieństwie do decydentów w znanym niemieckim wydawnictwie, Erica

uznała za rzecz niedopuszczalną, ba, zupełnie nie do po-
myślenia, by przekładać utwór literacki z innego języka
niż oryginalny; odmówiła więc propozycji i zasugerowała,
żeby mnie powierzyć to zadanie, a Kiepenheuer & Witsch
po pewnych wahaniach wyraziło zgodę. To, że nie mogłem się wykazać żadną praktyką przekładową, nie stanowiło przeszkody. Nie pamiętam, by żądano ode mnie
chociaż próbki przekładu. Najwyraźniej wystarczyła reko-
mendacja Eriki. W ten niezwykły sposób zostałem tłumaczem Ryszarda. Dezynwoltura, z jaką poważne niemieckie
wydawnictwo podchodziło do dzieła literatury światowej,
rzuca znamienne światło na wczesną, dziką fazę niemiec-
kich dziejów przekładu, która, jak widać na tym przykła-
dzie, nie należy do zamierzchłych czasów. Przekład *Cesarza* (*König der Könige. Eine Parabel der Macht*) ukazał się
w 1984 roku.


## Trzecie podziękowanie

W tym samym roku co pierwszy przekład książkowy
ukazała się też moja pierwsza książka *Po Galicji. O chasydach, Hucułach, Polakach i Rusinach.* Ją również zainspiro-
wał ów zakaz wjazdu do Polski. Czułem się sparaliżowa-
ny faktem, że nie mogę już tam jeździć, aż pewnego dnia
mój przyjaciel, austriacki autor Christoph Ransmayr poradził mi, bym wykorzystał swoją wiedzę o polskiej historii oraz literaturze i napisał książkę o tym kraju. Istniało
oczywiste zapotrzebowanie na taką rzecz, bo zasób wiadomości o Polsce przedstawiał się w niemieckim obszarze językowym skromnie. Z Christophem łączyło mnie więcej

niż przyjaźń; pisywaliśmy wtedy obydwaj – każdy dla siebie, ale też wspólnie, by tak rzec, na cztery ręce – reportaże przeznaczone głównie dla kierowanego przez Hansa Magnusa Enzensbergera magazynu „TransAtlantik". Enzensberger powołał go do życia, by wspomóc reportaż literacki w niemieckim obszarze językowym; magazyn wychodził w Monachium i udzielał łamów obszernym, ambitnym tekstom, które nie mogły się ukazać gdzie indziej. Dla „TransAtlantiku" napisaliśmy wspólnie cały szereg dłuższych reportaży, między innymi tekst o austriackim żołnierzu Ottonie Schimku, który w 1944 roku został rozstrzelany w Machowej (południowa Polska) przez oddział egzekucyjny Wehrmachtu, ponieważ jakoby odmówił udziału w egzekucji polskich zakładników. Na początku lat osiemdziesiątych Schimek stał się symbolem dla Polaków odmawiających służby wojskowej. Andrzej Stasiuk opowiadał mi, że odbył pielgrzymkę na cmentarz w Machowej, by się pokłonić dzielnemu Austriakowi. Z naszej kwerendy wyłonił się nieco inny obraz. Jak zdołaliśmy ustalić, Schimek nie był bohaterem, lecz po prostu nie nadawał się do rzemiosła wojennego; kiedy tylko zaczynano strzelać, idąc za radą swojej matki, znikał jak kamfora – nietrudno wprawdzie takie postępowanie zrozumieć, ale wyczerpuje ono znamiona dezercji. Zaproponowaliśmy, by wznieść temu młodemu Austriakowi pomnik z inskrypcją: „Nie był zainteresowany wojną".

Wziąłem sobie do serca radę Christopha i podczas gdy nadal pisywaliśmy reportaże na cztery ręce, zacząłem gromadzić materiał do imaginacyjnej podróży po literackich krainach Galicji i Bukowiny. Chętnie wspominam wspólne pisanie z Christophem. Był on też jednym z pierwszych czytelników mojego przekładu *Cesarza*; zachwycał się tą książką tak jak ja. Sami usiłowaliśmy wówczas wysondować możliwości literatury dokumentalnej, toteż potrafiliśmy docenić maestrię Kapuścińskiego. Dla mnie od samego początku był on wielką inspiracją: reporterem, który, jak mogło się wydawać, tanecznym krokiem przekracza granicę ku literaturze. Ale oczywiście Kapuściński pozostawał pod każdym względem daleko: ponieważ nie wolno mi było wjechać do Polski, dopiero po kilku latach spotkałem go po raz pierwszy – w 1986 roku w Oksfordzie, gdzie mieszkał kilka miesięcy jako *writer in residence*. Z Christophem natomiast spędzałem wtedy wiele czasu, wspólnie prowadziliśmy badania i pisaliśmy; była to ważna, wspaniała szkoła, w której wiele się nauczyłem.

Swoje trzecie podziękowanie, równie szczere jak drugie, składam więc przyjacielowi Christophowi Ransmayrowi.

## Ukłon

Kiedy zaczynałem tłumaczyć *Cesarza*, znałem już dobrze nazwisko Kapuściński, czytywałem w polskich gazetach reportaże jego pióra, które natychmiast obudziły moją fascynację. To, że mogę przekładać tego autora, uważałem za szczególnie szczęśliwy przypadek. Nie myliłem się: *König der Könige* (*Cesarz*) został z zachwytem przyjęty przez krytykę, ukazały się entuzjastyczne omówienia, nieznany dotychczas polski autor błyskawicznie zdobył sobie miejsce w niemieckim obszarze językowym jako mistrz w swoim fachu; z uznaniem wspominano też o przekładzie, co w naszych krajach nie jest oczywistością.

A jednak pojawiły się problemy z wydawnictwem. Drugi tytuł – *Szachinszach* (*Schah-in-Schah*) – wyszedł względnie szybko po pierwszym (1986), jednak przy trzecim coś się zacięło. Przekład *Wojny futbolowej* (*Der Fußballkrieg*) dawno już był gotowy, ale termin publikacji wciąż odraczano. Wtedy pomógł nam Hans Magnus Enzensberger. Stworzył akurat własną serię książkową Die Andere Bibliothek (Inna Biblioteka), w której co miesiąc wydawał kolejny tytuł, starą i nową literaturę, autorów niemieckojęzycznych i przekłady w kalejdoskopowym pomieszaniu, w myśl prostego programu: robimy książki, które sami chcielibyśmy przeczytać. Jednym z autorów chętnie czytanych przez Enzensbergera był Kapuściński, którego znał on z przekładów amerykańskich. Chciał koniecznie pozyskać Kapuścińskiego do swojej serii, co w końcu mu się udało: *Wojna futbolowa* po niemiecku ukazała się w 1992 roku nie w Kiepenheuer & Witsch, lecz w Innej Bibliotece; dlaczego Kiepenheuer & Witsch pozwolił odejść swojemu autorowi, jest dla mnie zagadką do dziś. Ale przyczyny wydawniczych decyzji często trudno zgłębić, a same decyzje nie zawsze można uznać za zrozumiałe.

Jako się rzekło: Ryszard był i jest dla mnie jako tłumacza szczęśliwym przypadkiem. Ale nie tylko. Od początku wiedziałem, że znalazłem w nim pokrewną duszę – autora, który odpowiada mojemu gustowi, a także, co jeszcze ważniejsze, osiągnął doskonałość w rozwoju pewnej formy literackiej – możemy ją nazwać literackim reportażem czy *creative non-fiction* – ta forma zaś jest bliska moim aspiracjom. Znalazłem w Kapuścińskim wzór literacki. Doradcę. W jakiej mierze miał na mnie wpływ, sam nie umiem powiedzieć. To musieliby przeanalizować inni, zakładam jednak, że takie wpływy były i są. Prawdopodobnie nie sposób ich uniknąć w sytuacji wieloletniego, intensywnego obcowania z autorem, nie widzę w tym zresztą nic złego. Jestem pełen podziwu – jako tłumacz i jako autor – gdy obserwuję, jak Kapuściński pokonuje przy pisaniu najtrudniejsze przeszkody, jak przechodzi od aktualnego reportażu do opisu poetyckiego, jak przeskakuje od eseju do prozy epickiej, jak lekko, nigdy nie popadając w oszczerczy ton, posługuje się ironią... Czasem łapię się na tym, że w chwilach kiedy utykam w pisaniu, sięgam po którąś z jego książek. Prawdopodobnie nazywa się to *comfort literature*, literaturą szczególnie bliską, która działa uspokajająco (tak jak *comfort blanket* działa na małego Linusa w cudownym amerykańskim komiksie *Peanuts* Charlesa M. Schulza, w Polsce znanym jako *Fistaszki*). Czerpię z niej ważne bodźce. Niełatwo mi podać konkretne przykłady, ponieważ zwykle dzieje się to, by tak rzec, podskórnie, nieświadomie – a jednak spróbuję. Kiedy pracowałem nad książką o sprawie Halsmanna (*Anklage Vatermord. Der Fall Philipp Halsmann*, Wiedeń 2002; *Ojcobójca. Sprawa Filipa Halsmanna*, Wołowiec 2005) – książką o incydencie kryminalnym z roku 1928 w Austrii, który nabrał wymiarów afery zajmującej publiczność międzynarodową i był często porównywany z aferą Dreyfusa – mierzyłem się przede wszystkim z problemem utrafienia we właściwy ton narracji, dopasowania języka do materii. W ciągu długich badań przekopałem się przez niezliczone gazety z tamtej epoki i akta sądowe, których język znacznie różni się od obiegowego języka dzisiejszej Austrii; pięćdziesiąt–sześćdziesiąt lat to długi okres w rozwoju językowym. Po kilku niezbyt zadowalających próbach wróciłem w końcu do owego przestarzałego języka z 1928 roku i zacząłem czerpać z jego zasobów. Pamiętam, że przywiodła mnie do tego pomysłu wcześniejsza o całe lata rozmowa z Ryszardem na temat jego *Cesarza* i świadomego zastosowania tam polskich archaizmów. W innych przypadkach nie tak łatwo ustalić wpływy – co nie oznacza, że ich nie ma.

Najważniejsze było jednak dla mnie coś innego: sam akces na rzecz literatury dokumentalnej. Nie wiem, czy zdobyłbym się na tak stanowczy krok, gdybym nie spotkał Ryszarda. Jego przykład dodał mi odwagi.

Już choćby z tego powodu zasługuje on na więcej niż zwykłe podziękowanie – zasługuje na ukłon. Kiedy byłem dzieckiem, nazywano taki ukłon, wyraz wdzięczności i poważania, „reweransem". „Zrób pięknego reweransa!", instruowała mnie babcia, gdy spotykaliśmy na ulicy znajomego, który w jej oczach zasługiwał na grzeczne pozdrowienie. Była kobietą przywiązującą dużą wagę do tego, co się zowie kindersztubą, choć wyznawała najokropniejsze poglądy ideologiczne i polityczne. To jednak inna historia. Tymczasem „rewerans", uprzejmy ukłon, dawno znikł, pokolenie mojego syna nie może powstrzymać się od śmiechu, słysząc to słowo (jeśli w ogóle wie jeszcze, co ono znaczy). Prawdopodobnie zniknięcie „reweransa" oznacza postęp, choć tu miałbym pewne wątpliwości. Toteż chcę na chwilę zapomnieć o postępie i złożyć Ryszardowi ukłon w całkiem staromodnym stylu.


Epilog

Od ponad dwudziestu lat przekładam więc dzieła Kapuścińskiego, dotychczas jedenaście tytułów, właśnie pracuję nad dwunastym i czekam niecierpliwie na kilka kolejnych

książek, na przykład na wspomnienia z jego rodzinnego Pińska. Ryszard zajmuje szczególne miejsce w mojej bibliografii,
a także w mojej biografii. Jeśliby zbilansować wszystko, spędziłem z nim kilka lat (niezmiennie ku swej wielkiej przyjemności), dzień po dniu, przeciętnie od sześciu do ośmiu
godzin. To moje normalne pensum; potem zajmuję się czym
innym, własnym pisaniem, jeśli starcza sił, a przede wszystkim pomysłów, albo – częściej – pracą w ogrodzie; ale i wtedy Ryszard czasem mi towarzyszy, bo przycinając winorośl
lub przerzucając kompost, wojuję z problemami, które przechodzą mi przez głowę: czasem są to poszczególne sformułowania lub całe okresy zdaniowe, które u Ryszarda brzmią
tak lekko i elegancko, a w surowym przekładzie wydają się
strasznie niezgrabne. Najlepsze idee miewam – zdążyłem się
o tym przekonać – podczas obserwacji ptaków, które widać
z mojej pracowni w Bocksdorfie (południowy Burgenland).
Toteż na moim biurku stoi zawsze lornetka marki Swarov-
ski, „Habicht", 7 × 42. Nie ma dla mnie nic piękniejszego, niż móc podczas pracy nad przekładem przypatrywać
się ptakom, widzieć, jak się kąpią i otrząsają pióra, jak wy-
konują ogonem i całym kuprem śmigłopodobne ruchy, jak
świergocząc głośno, wadzą się o najlepsze miejsce w zbior-
niku z wodą, aby zaraz zapomnieć o kłótni i oddać się bez
reszty kąpielowym radościom. Tłumacz jako *voyeur*.

Czasem staję się jednak świadkiem tragedii. Pamiętam
jeszcze żywo jedną z nich; pracowałem właśnie nad *Podróżami z Herodotem*. Dotarłem akurat do miejsca, gdzie
Herodot opisuje okrutne zwyczaje wojenne Scytów – ob-
dzieranie ze skóry głowy zabitego wroga – kiedy zza okna
dał się słyszeć przenikliwy lament. Sokół obezwładnił jednego z moich kosów. Siedział teraz dumny i władczy jak

scytyjski wojownik na swojej ofierze, która jeszcze przez kilka minut żyła i trzepotała; drapieżnik nie zabił jej ciosem dzioba, lecz trzymał mocno w szponach, by powoli się wykrwawiła. Metoda tyleż energooszczędna, co okrutna. Następnie przystąpił do uczty, którą, dokładnie tak jak opisuje to literatura, zaczął od głowy. Tyle że nie zdarł z niej skóry, lecz wyczyścił ją do cna, oskubując dziobem, aby następnie rozłupać cienką czaszkę i dostać się do mózgu. Zapewne łakomy kąsek...

Wiem, że tego dnia nie wykonałem swojego pensum. Ale z tego powodu nie mogę czynić wyrzutów ani Herodotowi, ani Ryszardowi.

*przełożył Andrzej Kopacki*

fot. Katarzyna Dzidt

**Martin Pollack** urodził się w 1944 r. w Bad Hall w Górnej Austrii.
Studiował slawistykę i historię wschodnioeuropejską w Wiedniu i w Warszawie, skąd pisywał – pod różnymi pseudonimami – do „Wiener Tagebuch" korespondencje o sprawach dla władz PRL niewygodnych.
Pod koniec wojny sześciodniowej jako ochotnik pojechał do Izraela i został tam cztery miesiące – w kibucu pracował na plantacji bananów.
Po studiach, zakończonych doktoratem (emancypacja Żydów w powieściach Elizy Orzeszkowej), zaczął tłumaczyć.

Przez 10 lat był redaktorem „Wiener Tagebuch". Od 1987 do 1998 r. pracował jako korespondent tygodnika „Der Spiegel" najpierw w Wiedniu, później w Warszawie. W wieku 55 lat porzuca dziennikarstwo, bo uświadamia sobie, że inaczej nie napisze żadnej własnej książki.

Mieszka w Wiedniu i we wsi Bocksdorf, gdzie ma dom z 1910 r. i duży ogród. Tam najchętniej pisze i tłumaczy. Przełożył m.in. wszystkie książki Ryszarda Kapuścińskiego, *Szkice piórkiem* Andrzeja Bobkowskiego, *Drohobycz, Drohobycz* Henryka Grynberga, *Wilczy notes* Mariusza Wilka, *Onych* Teresy Torańskiej, *Umschlagplatz* Jarosława M. Rymkiewicza, *Tartak* Daniela Odii, a także sztuki teatralne.

W 2006 r. przygotował antologię polskiego reportażu *Von Minsk nach Manhattan* (wyd. Zsolnay) i antologię esejów *Sarmackie krajobrazy*, która ukazała się równocześnie po polsku i po niemiecku nakładem wydawnictw S. Fischer i Czarne.

Naszym czytelnikom znane są jego trzy książki w przekładach Andrzeja Kopackiego: *Po Galicji. O chasydach, Hucułach, Polakach i Rusinach. Imaginacyjna podróż po Galicji Wschodniej i Bukowinie, czyli wyprawa w świat, którego nie ma* (wyd. Borussia, 2000), *Ojcobójca. Sprawa Filipa Halsmanna* (wyd. Czarne, 2005) i *Śmierć w bunkrze. Opowieść o moim ojcu* (wyd. Czarne, 2006), przełożona na hiszpański, słoweński i angielski, za którą otrzymał Nagrodę Górnej Austrii (2005) i Toblache Prosapreis (2006).

Jest laureatem Austriackiej Nagrody Państwowej w 2003 r. za twórczość translatorską. Za zasługi dla Polski wyróżniło go w 2000 r. polskie Ministerstwo Spraw Zagranicznych, a w 2003 r. został odznaczony Krzyżem Kawalerskim Orderu Odrodzenia Polski.

MIHAI MITU

# MOJE PODRÓŻE Z MISTRZEM

## Pierwsza

Był rok 1988. Późna jesień, październik, a może listopad, już dobrze nie pamiętam. W ambasadzie polskiej w Bukareszcie – koktajl. Zaproszono nas, miłośników literatury polskiej, polonistów i tłumaczy, na spotkanie z przedstawicielami wydawnictwa Czytelnik. Przywieźli plon pracy ostatnich lat: około dwustu tytułów. Ciekawa szata graficzna, piękne oprawy, jaskrawe kolory. Prawdziwy regał...

Jak to zazwyczaj bywa w takich sytuacjach, rozmowa toczyła się wokół spraw edytorskich: plany wydawnicze, relacja autor–wydawca, sposoby popularyzacji książek w kraju i za granicą. Niemniej my, goście rumuńscy, dołożyliśmy nasz wdowi grosz do dyskusji: co nas najbardziej interesuje, nad czym obecnie pracujemy, jakie są nasze preferencje. Rzecz jasna, największy punkt atrakcji to same książki. Po kilkuletnim zastoju w stosunkach z Polską, spowodowanym wydarzeniami politycznymi („Solidarność", stan wojenny), patrzyliśmy na wystawę tych nowości jak na skarbiec zanadto ukryty, do którego nie mieliśmy dostępu, więc tym bardziej skierowały się tam nasze łakome oczy i niecierpliwe ręce!

No, i zaczęło się... Po pierwszych wymianach myśli, po kilku stuknięciach kieliszkami z żubrówką, rzuciliśmy się ochoczo na to, co tak hojnie ofiarowano. Każdy brał do wglądu jedną czy drugą pozycję, zależnie od treści i własnych upodobań. Byli i tacy, którzy, pogrążeni w czytaniu, całkowicie zapominali o tym, co ich otaczało: o tacach ze smakołykami, o szklankach z Bloody Mary, o rozmowach z gospodarzami. Ja należałem właśnie do tych.

Od razu moją uwagę zwróciła czterotomowa edycja, każdy tom w innym kolorze, w każdym tomie po dwa utwory. Wziąłem do ręki jeden z nich, na chybił trafił. Przerzuciłem pięć kartek i mój wzrok zatrzymał się na akapicie:

*To był mały piesek rasy japońskiej. Nazywał się Lulu. Miał prawo spać w łożu cesarskim. W czasie różnych ceremonii uciekał cesarzowi z kolan i siusiał dygnitarzom na buty. Panom dygnitarzom nie wolno było drgnąć ani zrobić żadnego gestu, kiedy poczuli, że mają mokro w bucie. Moją funkcją było chodzić między stojącymi dygnitarzami i ocierać im mocz z butów. Do tego służyła ściereczka z atłasu. To było moim zajęciem przez dziesięć lat.*

Zabawne – mruknąłem. Ni to baśniowy SF w rodzaju *Cyberiady* Lema, ni to dziwoty i misteria jak w *Rękopisie znalezionym w Saragossie* Jana Potockiego, żeby wymienić tylko dwa arcyciekawe teksty, których przełożenie na rumuński zabrało mi ostatnio kilka dobrych lat pracy. Co to za książka? Kto ją napisał? Patrzę bliżej i czytam: tytuł – *Cesarz*; autor – Ryszard Kapuściński.

Przyzwyczajony do tekstów i nazwisk powszechnie znanych w kręgach uniwersyteckich, od Kochanowskiego do Iwaszkiewicza, od *Pana Tadeusza* do *Nocy i dni* Dąbrowskiej, będących lekturami obowiązkowymi studentów polonistyki, nie spodziewałem się, że od tej chwili mógłby zacząć się prawdziwy przełom w mojej pracy tłumacza i wykładowcy zarazem, że faktycznie rozpocząłem wędrówkę po nowej krainie cudów. Czytam dalej:

*Cesarz spał w łożu z jasnego orzecha, bardzo obszernym. Był tak drobny i kruchy, że ledwie go się widziało, ginął w pościeli. Na starość zmalał jeszcze bardziej, ważył pięćdziesiąt kilo. Jadł coraz mniej i nigdy nie pił alkoholu. Sztywniały mu kolana i kiedy był sam, powłóczył nogami i kołysał się na boki, jakby szedł na szczudłach, ale kiedy wiedział, że ktoś na niego patrzy, największym wysiłkiem zmuszał mięśnie do pewnej elastyczności, tak aby poruszanie się jego było godne i aby postać imperialna mogła utrzymać się w możliwie nienagannym pionie.*

Od małego, niewinnego pieska do jego pana, wielkiego cesarza, to zaledwie dystans paru wierszy! Ale jakich! Bez językowych esów-floresów, prosto, lapidarnie... Chcę czytać dalej, ale jak? Przecież to nie biblioteka. Tu należy być miłym gościem...

Zostawiam książkę niby obojętnie i wracam do towarzystwa. Dwa–trzy słowa z najbliższym sąsiadem, tu uścisk dłoni, tam uśmiech, ale cały czas nie spuszczam z oczu „mojej" zdobyczy w obawie, że ktoś nią zawładnie. Wreszcie znowu jestem przy tomach Kapuścińskiego. Muszę się przyznać, że do momentu tej pierwszej, przypadkowej lektury *Cesarza* podczas pamiętnego wieczoru w ambasadzie polskiej jego nazwisko nie było mi znane. Nic więc dziwnego, że po powrocie do domu natychmiast zajrzałem do *Przewodnika encyklopedycznego*. *Literatura polska* (Warszawa, PWN, 1984). Jest!, i to dość obszernie, w tomie pierwszym, na stronie 418, a nieco dalej, na stronie 679... mój biogram. Więc ja, skromny tłumacz literatury polskiej, sąsiadowałem z takim Mistrzem pióra w tym samym tomie, nie wiedząc, kim On jest!

Ale zanim do tego doszło, moja przygoda z *Cesarzem* jeszcze trwała. Przed wyjściem ze spotkania w ambasadzie udało mi się – gorączkowo, w szalonym pośpiechu – przejrzeć jeszcze parę stron. Pamiętam, jak mnie poraził ten fragment:

*Cesarz rozpoczynał dzień od słuchania donosów. Noc jest niebezpieczną porą spiskowania i Hajle Sellasje wiedział, że to, co dzieje się w nocy, jest ważniejsze od tego, co dzieje się w dzień, w dzień miał wszystkich na oku, a w nocy było to niemożliwe. Z tego powodu przykładał do rannych donosów wielkie znaczenie. Tu chciałbym wyjaśnić jedną rzecz: czcigodny pan nie miał zwyczaju czytania. Dla niego nie istniało słowo pisane i drukowane, wszystko trzeba było referować mu ustnie. (...) Zwyczaj ustnego referowania miał tę zaletę, że w razie potrzeby cesarz mógł oświadczyć, iż dostojnik taki to a taki doniósł mu zupełnie co innego, niż miało to miejsce w rzeczywistości, a ten nie mógł bronić się nie mając żadnego dowodu na piśmie. Tak więc cesarz odbierał od swoich podwładnych nie to, co oni mu mówili, ale to, co jego zdaniem powinno być powiedziane.*

Czytałem to jednym tchem, w napięciu, spowodowanym niepowstrzymanymi analogiami do ówczesnych realiów rumuńskich. Jakkolwiek te realia zmuszały nas wszystkich do wzmożonej czujności, patrzyłem kątem oka na otoczenie: a nuż w pobliżu jest ktoś – nie – Polak, oczywiście – *ktoś* czyhający na wymowną reakcję, na podejrzane grymasy mojej twarzy, z których można wyciągnąć należyte wnioski. A potem... Przecież samo czytanie, i to w obcym języku, o mechanizmie donosicielstwa, przedstawionym w dodatku jako *raison d'état*, byłoby surowo karane w Rumunii roku 1988! To tabu. O tym nie wolno nawet myśleć, a tym bardziej mówić i czytać! Na wszelki wypadek, wstrzymując oddech satysfakcji (bo tak czułem w głębi duszy!), sięgnąłem po inną książkę (nie pamiętam którą), udając podobne zainteresowanie (były to czasy, kiedy umiejętne aktorstwo w życiu codziennym stanowiło jedyną drogę ratunku).

Ale szybko, by czasu nie tracić na sztuczną zabawę, skierowałem się do mojego skarbu. Przekonany już, że na każdej stronie czekają mnie podobne niespodzianki, otworzyłem książkę kilka stron dalej:

*Spiętrzone góry mięsa i owoców, ryb i serów wznosiły się na stołach. Wielokondygnacyjne torty ociekały słodkim i barwnym lukrem. Wytworne wina rozsiewały kolorowy blask, orzeźwiający zapach. Muzyka grała, a strojni trefnisie fikali kozły ku radości rozbawionych biesiadników. Czas mijał wśród rozmów, śmiechu i konsumpcji.*

*Fajnie było.*

*W czasie tej imprezy musiałem poszukać spokojnego miejsca, a nie wiedziałem, gdzie ono jest. Wyszedłem z Wielkiej Sali bocznymi drzwiami na dwór. Była ciemna noc, siąpił drobny deszcz, majowy, ale chłodny. Od tych drzwi zaczynał się łagodny stok, a kilkadziesiąt metrów niżej stał źle oświetlony barak, bez ścian. Od bocznych drzwi, którymi wyszedłem, aż do baraku stali rzędem kelnerzy i podawali sobie półmiski z odpadkami z biesiadnego stołu. Na tych półmiskach płynął w stronę baraku strumień kości, ogryzków, roztaplanych sałatek, rybich łbów i mięsnych ochłapów. Poszedłem w stronę baraku ślizgając się w błocie i w resztkach porozrzucanego jedzenia.*

Przerywam cytat w tym miejscu. Czytelnicy *Cesarza* wiedzą, że dalej następuje apokaliptyczny opis rzucenia się głodnego tłumu na wszystkie te „ogryzki i ochłapy", podczas gdy „tam na górze też trwało wielkie żarcie, mlaskanie i siorbanie", tzn. bankiet z okazji spotkania prezydentów krajów afrykańskich w Addis Abebie w maju 1963 roku (Warszawa 2003, wydanie XV, s. 23). Wówczas, po lekturze tego fragmentu, byłem oszołomiony, że coś takiego mogło się zdarzyć. Że przemoc i niesprawiedliwość mogą współistnieć jako coś normalnego. Że raj i piekło, mądrość i głupota, przepych i nędza mogą sąsiadować tak blisko, na tak małej przestrzeni, w tym samym czasie i bez buntu ze strony uciskanych. Kim jest ten pisarz, który tak trafnie opisuje to wszystko?

Impreza dobiegała końca – nie mogłem czytać dalej. W drodze do domu postanawiam: tę książkę muszę zdobyć, muszę ją przeczytać do końca, muszę ją przełożyć na mój język, by moi rodacy mogli przeżyć to co ja w tych chwilach i zostać wielbicielami takiego niespotykanego geniusza pióra!

Jednak miałem świadomość, że to tylko złuda! W warunkach roku 1988 w moim kraju takie przedsięwzięcie z góry skazane było na fiasko, nie mówiąc już o skutkach dla śmiałka – tłumacza i wydawcy, o ile by się tacy znaleźli. Najwyżej mógłbym ją tłumaczyć dla siebie i... do szuflady. Miałem zresztą pod tym względem przykre doświadczenie – mój przekład *Cyberiady* ukazał się bez ostatnich dwu powiastek.

Autor *Cesarza* mógłby o wiele bliżej, w sąsiedniej Rumunii, trafić na – co prawda, w innym rozmiarze i z innych powodów – ale podobne historie! Mógłby usłyszeć od jakiegoś „anonima wołoskiego" (którego imię i nazwisko musiałby koniecznie zanotować inicjałami), jak osobnicy z dawnej nomenklatury partyjnej urządzali na różnych szczeblach monstrualne festyny, mocno zakrapiane zachodnimi drinkami, z okazji przyjacielskiej wizyty „towarzyszy z obozu socjalistycznego". Kilka dni później inny „anonim", powiedzmy, rumuński tłumacz delegacji zagranicznych aparatczyków – „w cywilu" zwyczajny pracownik akademicki, musiał stać pół dnia w kolejce po kilo sera owczego, bo w jego sklepie spożywczym tylko raz w tygodniu, w sobotę, przywożono pięćdziesięciokilową beczkę! A dlaczego, wiadomo: by spłacić zaciągnięte długi. Rumuński „negus" (też mały wzrostem i półanalfabeta!) kazał eksportować wszystko, co się dało, nie wyłączając żywności. W ten sposob Rumunia stała sie w oczach Zachodu (czy to zbieg okoliczności?) „Etiopią Europy".


Druga

Minął rok od mojej pierwszej podróży z Mistrzem Ryszardem. We wrześniu 1989 roku, po dwunastu latach nieobecności w Polsce (ale to już inna historia), byłem znowu w Warszawie i Krakowie na letnich kursach języka i literatury polskiej. Pierwsza rzecz: kupić utwory Kapuścińskiego. Czytałem je przez dwie noce; *Cesarza* i *Szachinszacha* po prostu pożerałem. Rok wcześniej to tylko przeczuwałem, teraz przekonałem się, że każdy tekst wychodzący spod pióra pana Ryszarda (stał mi się tak bliski, że w rozmowach ze sobą tak go nazywałem) to nie sucha relacja dziennikarska, lecz naprawdę wielka literatura, godna najpierwszych antologii polskiej (i nie tylko polskiej) literatury współczesnej! Jednak cóż z tego, skoro tylko ja mogłem się tym cieszyć. Tłumaczenie *Cesarza* albo *Szachinszacha* na rumuński nadal pozostawało marzeniem. A drugi etap mojej podróży z Mistrzem zakończył się tylko „przemyceniem" jego dzieł w oryginale, ukrytych w stosie słowników i podręczników dla „studentów polonistów w Bukareszcie".

Trzecia

Wtedy nawet nie przyszło mi do głowy, że to marzenie jest tak bliskie spełnienia. 22 grudnia jeszcze tego samego roku rumuński „negus" został pozbawiony tronu. Rozwścieczony tłum wygonił go i jego połowicę (mieliśmy szczęście nie do jednego, ale do pary dyktatorskiej) ze stolicy. Kilka dni później zostali straceni. Głód, zimno i strach (te trzy wyrazy po rumuńsku zaczynają się tą samą głoską „f": *foame, frig, frică*) poszły w niepamięć. Zaczęliśmy znowu smakować wolność słowa. Prywatne wydawnictwa, które mnożyły się jak grzyby po deszczu, rzuciły się na bestsellery zagraniczne, dotychczas zakazane albo podejrzane; wśród nich znalazł się i *Cesarz*. Praca nad przekładem zabrała mi prawie cały rok 1990, kiedy rumuńska rzeczywistość trzęsła się od podstaw. Książka ukazała się w następnym roku w wydawnictwie Globus z portretem Autora, sugestywną okładką i moją przedmową.

Zafascynowana tekstem żona (jest pierwszym lektorem moich prac, jeszcze w rękopisie) też chciała się przyczynić do sukcesu książki na rumuńskim rynku i... narysowała mapę Etiopii. *Cesarz* rozszedł się w mig, a czasopisma literackie: „Discobolul", „Lettre Internationale", przedrukowały jego obszerne fragmenty.

## Czwarta

Jeszcze w czasie druku *Cesarza* zdarzyło się naprawdę coś niezwykłego: moje osobiste spotkanie z Mistrzem Ryszardem. W maju 1991 roku przyjechałem do Warszawy na zaproszenie Związku Literatów Polskich. Muszę od razu podkreślić, że tamte rozmowy z Nim to bez przesady jedne z najprzyjemniejszych chwil w moim życiu! Wszystkiego nie da się opisać. Powiem tylko jedno: przede wszystkim imponował mi prostotą, naturalnością, bezpośredniością we wszystkim – żadnej pychy, żadnych fumów, najmniejszej chęci wystawiania swojej, tylko swojej osoby. Miałem przed sobą nie tyle wielkiego pisarza ze swoimi utworami, planami, projektami (opowiadał mi o podróżach po Rosji, których rezultatem później stało się *Imperium*), ile człowieka, zwykłego człowieka, zwracającego się do mnie jak do dawnego kolegi z ławy szkolnej. Chciał się jak najwięcej dowiedzieć o mnie, kim jestem, co robię, jakie mam zamiary, co mi się podoba, a co nie itp. Nie ukrywał szczerego zadowolenia, że traktuję przekład jak pracę naukową, że nie lubię tłumaczyć na zamówienie, taśmowo, dla pieniędzy, lecz tylko takie teksty, dawniejsze lub nowe, które zmuszają mnie do ciężkiej roboty, do szperania po źródłach, do kolejnych korekt (z tego powodu miałem nieraz kłopoty z wydawcami, którzy słusznie domagali się respektowania terminów zgodnie z umową). Dobry tłumacz – dodałem – musi być nie tylko obdarzony talentem i dokładną znajomością obu języków, ale i znawcą całej twórczości danego pisarza, epoki i okoliczności powstania utworu. Musi się znać zarówno na sprawach czysto językowych, jak i na historii literatury. Z tego wynika konieczność opatrywania przekładów przedmowami albo posłowiami, szczególnie w wypadku pisarzy mało znanych albo świeżo odkrytych (tak zrobiłem z *Rękopisem* Jana Potockiego, do którego dołożyłem nie banalny wstęp, lecz prawdziwe studium komparatystyki literackiej). To wszystko w moich ustach brzmiało jak spowiedź, a gospodarz słuchał tego spokojnie, wyrażając aprobatę skinieniem głowy.

Nie chcąc zabierać czasu – tak cennego dla twórcy tego pokroju co Mistrz Ryszard – nie zboczyłem z rozmowy fachowej w kierunku spraw polityki światowej czy sytuacji w naszych krajach. Wystarczy dodać, że wszystko odbyło się w ciepłej domowej atmosferze – do której mile przyczyniła się Małżonka pisarza, pani Alicja. Przez cały czas nie mogłem oderwać oczu od ściany, gdzie stały wydania dzieł Mistrza z całego świata. Wkrótce miała być ona wzbogacona o pierwszy rumuński przekład mojej roboty. A z domu Mistrza nie wyszedłem, oczywiście, z pustymi rękami: dostałem w prezencie *Lapidarium* z roku 1990, z dedykacją.

Piąta

Nie zawsze podróże przebiegają gładko: obok wielu przyjemności i satysfakcji mogą się zdarzać nieprzewidziane przeszkody, często nie z własnej winy. Tak mi się zdarzyło podczas czteromiesięcznej pracy nad przekładem *Szachinszacha* w drugiej połowie 1991 roku, po powrocie z Warszawy. Niestety, mimo że druk był prawie gotowy, książka nie mogła się ukazać... z powodu bankructwa wydawnictwa! A była tak podobna do *Cesarza*: ta sama szata graficzna, moja przedmowa (nawet mocniejsza, bardziej polemiczna, szczególnie dzięki opisowi pobytu szachinszacha w Bukareszcie, kiedy otrzymał doktorat *honoris causa* uniwersytetu!), także mapa Iranu narysowana ręką mojej żony, ale wszystko na nic! Za zgodą właściciela wydawnictwa obszerny fragment o Savaku (pod tytułem *Tajna policja*) ukazał się siedem lat później w kwartalniku „Lettre Internationale", gdzie Ryszard Kapuściński jest zresztą stałym gościem.

Szósta

Moje dotychczasowe podróże z Mistrzem Ryszardem nie skończyły się na przekładach *Cesarza i Szachinszacha*. To byłoby niemożliwe; skoro się raz weszło w ten wspaniały, nieporównywalny z niczym świat Jego książek, to w dalszym ciągu obcuje się z tym światem, oddycha jego powietrzem. Często na zajęciach ze studentami omawiam Jego życie i twórczość. Na wykładzie z historii języka polskiego, na przykład o czasowniku *paść/padać*, przypominam również odpowiedniki rumuńskie pochodzenia starosłowiańskiego o tym samym rdzeniu: *năpastă, năpădi, prăpastie, zăpadă*, ale zaraz podaję polskie wyrazy, zaczerpnięte z *Cesarza: odpadki, przepaść, rozpad* itp., rzecz jasna, z odpowiednim komentarzem z zakresu etymologii, morfologii, słowotwórstwa, semantyki itd.

Innym razem, mówiąc o Pińsku jako rodzinnym mieście Mistrza, nie omieszkam dodać, że to ten sam Pińsk, o którym wspominał Władysław Syrokomla w humoresce *Owidiusz na Polesiu* (1861):

*Już Nazon w pińskich lasach zbiera muchomory...*
*i z łuku sarmackiego pudłuje do kaczek!*

Oczywiście to tylko ciekawostka bliska gawędziarstwu, ale czy to nie jest miłe?

## Inna podróż (ale nie moja)

W roku 1993 ukazało się zapowiadane arcydzieło – *Imperium*. Miałem je w ręku dwa lata później. Byłem wtedy bardzo zajęty przygotowaniami slawistów rumuńskich do uczestnictwa w XII Międzynarodowym Zjeździe Slawistów w Krakowie (sierpień 1998) i pozwoliłem sobie na krótką przerwę w podróży z Mistrzem. W tym czasie ktoś okazał się szybszy – to Olga Zaicik, sędziwa i wielce zasłużona tłumaczka literatury polskiej w Rumunii. Wspaniale to zrobiła! (Przekład ze zmienionym nieco tytułem: *Amurgul Imperiului*, czyli *Zmierzch Imperium*, wydała oficyna Nemira w 1996 roku; rozszedł się błyskawicznie). Co do mnie, nawet dobrze, że nie jestem sam na tej drodze. Warto mieć towarzysza w takiej podróży!

## Siódma (znowu moja)

By nie zostać w tyle w tym współzawodnictwie, w 2002 roku zrewanżowałem się tłumaczeniem *Hebanu* (po rumuńsku *Abanos*, wyd. Paralela 45), oczywiście z przedmową: *Wielki humanista Ryszard Kapuściński i jego dzieła*. Książka – wydana ze wsparciem (także finasowym) tutejszego Instytutu Polskiego – cieszyła się dużym zainteresowaniem na Targach Książki w Bukareszcie.

Nie zapomnę, jak jeden ze znajomych, któremu wtedy podarowałem egzemplarz, mówił z entuzjazmem:

– Panie Michale, to cud! Od dzieciństwa, kiedy czytałem powieści Ticana, nie czytałem czegoś podobnego. [Mihai Tican-Rumano (1895–1967) – słynny rumuński podróżnik po Afryce, autor powieści przygodowych, m.in. *Na łowy w Kongu*]. Co mi tam lwy, tygrysy i same przygody, przecież tam są ludzie! Ten Polak żył, cierpiał, śmiał się i płakał razem z nimi. Wiem teraz, co to jest Afryka, nie muszę już tam jechać. Pan jest naprawdę szczęśliwy, że mógł czytać tę książkę po polsku.

Ja na to: – Teraz rozumie pan, dlaczego Polacy mają w literaturze aż czterech laureatów Nagrody Nobla?

– Dla mnie ten Kapuściński jest piąty. Musi być piąty!

Wiele razy potem w rozmowach z innymi rodakami, którzy czytali *Heban*, powtarzały się porównania między Afryką Mistrza Ryszarda a Afryką z oficjalnych relacji lat siedemdziesiątych o licznych podróżach naszej „pary prezydenckiej", które publikował dziennik „Scânteia", powtarzając do znudzenia „gotowość narodu rumuńskiego do przyjścia z pomocą krajom Trzeciego Świata". Tam, u Mistrza, prawdziwe życie, a tu – prawie nic, tylko czcze wiadomości o przyjęciach, pełne (obowiązkowo!) tych samych pochwalnych frazesów pod adresem „Towarzysza" i „Towarzyszki"!

## Ósma (ale nie ostatnia)

Ależ ten Pan Ryszard goni! Żeby tak biegać po siedemdziesiątce. Ledwo skończyłem przekład *Hebanu*, a już się pojawiło nowe arcydzieło – *Podróże z Herodotem*. Mam w ręku egzemplarz, który podarował mi krakowski Znak. Tym razem przeczytam go nie jednym tchem, jak dotąd, lecz spokojnie, daleko od upału stolicy, w ciszy mojej rodzinnej wsi na Wołoszczyźnie. Z ołówkiem w ręku, robiąc notatki i uwagi na osobnych karteluszkach, tak jak w Bukareszcie, w bibliotece Zakładu Slawistyki. Będzie to – rzecz jasna – mój kolejny przekład. Przecież muszę, choć próbować, dogonić Mistrza. Mam już pomysły do przedmowy. Będą w niej m.in. wzmianki o Herodotowej definicji Daków, naszych przodków, jako „najdzielniejszych spośród szczepów trackich" (w IV księdze); o rumuńskich podróżach śladami Herodota, począwszy od Milescu i Cantemira aż do współczesnego Eliadego; o tym, co to znaczy „przekroczyć granicę w czasie" – jak tylko Mistrz Ryszard potrafił w naszym burzliwym wieku – czyli podróżować po 2500 latach z Herodotem w ręku. Żeby mi tylko sił i zdrowia starczyło! Jak nie, to nic, pomoże mi Mistrz Ryszard, jestem tego pewien...

*Valea Mare-Pravăţ, Bukareszt*
*lipiec–sierpień 2006*

**Mihai Mitu**, rocznik 1936, jest profesorem slawistyki (już na emeryturze). Specjalizuje się w językoznawstwie (w roku akademickim 1961/1962 odbył staż naukowy u prof. Witolda Doroszewskiego). W latach 1969–1976 był lektorem języka rumuńskiego na Uniwersytecie Jagiellońskim. Od ponad czterdziestu lat wykłada język i literaturę polską na uniwersytecie w Bukareszcie. Zajmuje się głównie literaturą staropolską, epoką oświecenia i polsko-rumuńskimi związkami kulturalnymi w XV–XVIII w. Otrzymał odznakę „Zasłużony dla Kultury Polskiej" (1974) i Krzyż Kawalerski Orderu Zasługi Rzeczypospolitej Polskiej (1999). Przełożył m.in. wiersze: Ignacego Krasickiego, Adama Mickiewicza, Juliusza Słowackiego; opowiadania: Jarosława Iwaszkiewicza, Marii Dąbrowskiej, Jerzego Andrzejewskiego; Ryszarda Kapuścińskiego: *Cesarza* (1991), *Szachinszacha* (dotąd nie ukazał się w wydaniu książkowym) i *Heban* (2002).

ANDERS BODEGÅRD

# LĘK WYSOKOŚCI

## 1

W opowieściach Ryszarda K. wiele razy zniżamy lot ku ziemi. W *Podróżach z Herodotem* Autor siedzi pierwszy raz w samolocie, w drodze do Indii, z międzylądowaniem w Rzymie. Wygląda przez okno i widok wprawia go w osłupienie: *Pode mną całą długość i szerokość dna tej ciemności, w której lecieliśmy, wypełniało światło. Było to światło intensywne, bijące w oczy, rozedrgane, rozmigotane. Miało się wrażenie, że tam w dole jarzy się jakaś płynna materia, której błyszcząca powłoka pulsuje jasnością (...)*. Ryszardowi K. kręci się w głowie, kiedy tak patrzy w dół i opisuje. Dlatego na ogół woli chodzić po ziemi, jej się trzymać. To ziemia jest jego żywiołem...

Przypomina w tym pewnego olbrzyma z greckiej mitologii, Anteusza z Libii, syna Posejdona (boga morza) i Gai (bogini ziemi), który czerpał siłę, stąpając po ziemi. Był niezwyciężony do czasu, gdy Herakles wpadł na pomysł, aby go unieść w górę. Wtedy siła go opuściła, udusił się.

Ryszard K. trzyma się zatem najchętniej ziemi i nie kryje, że cierpi na lęk wysokości, akrofobię. W rozdziale o Azerbejdżanie w *Imperium* daje się jednak skusić, aby wejść na wieżę wiertniczą, prosto do nieba, które jest *właściwie czarne jak morze, wchodzimy w smole*. W *Podróżach z Herodotem*, w rozdziale *Widok z minaretu*, rozgrywającym się w Kairze, Autor zmuszony jest do karkołomnej wspinaczki na wieżę minaretu, bez zabezpieczenia i poręczy. Wyciska to z niego wszystkie soki, jest gotów zrobić cokolwiek, żeby znów znaleźć się na ziemi. A ja – tłumacz (również cierpiący na lęk wysokości) – dostaję palpitacji serca, zapisując to po szwedzku.

Ziemia, jej powierzchnia, jest główną bohaterką książek Ryszarda K. Wszystko dzieje się na niej, wszyscy przemieszczają się – idą, wędrują, cwałują, pedałują, toczą się, pędzą – po ziemi. Albo siedzą w bezruchu, milczący, bezczynni, na ulicy, wzdłuż drogi, na pozbawionej zdarzeń posadzce na lotnisku.

Wojny, walki rozgrywają się na ziemi. W tytułowym rozdziale *Wojny futbolowej* Autor ucieka w buszu przed gradem granatów i kul (w Hondurasie) po śliskiej glinie, pada na ziemię i przywiera do niej. *Leżałem między gęstymi krzakami, z całej siły zatkałem uszy palcami i z nosem przy ziemi przyglądałem się mrówkom.*

Potem pełznie, czołga się, przedziera przez krzaki, wspólnie z jakimś żołnierzem, cały czas wypatrującym wokół butów, które przydałyby się po wojnie (ma dziewięcioro dzieci).

Obuwie, w jakim chodzi się po ziemi, to osobny temat. W *Podróżach z Herodotem* Autor wyjaśnia swoje szczególne zainteresowanie tym, co ludzie mają na nogach, brakiem butów w dzieciństwie, gdy w okupowanej Warszawie zbliżała się zima. (W drodze do Pińska Ryszard

K. opowiada nam o trzech batalionach stacjonujących w mieście przed wojną; wojskowych butów było dość tylko dla jednego i w niedzielę chodzono do kościoła w trzech turach).

Ziemia, grunt, podłoże, to, co się na nich dzieje, dostarcza także języka, kształtuje i różnicuje styl. W rozdziale *Skacząc przez kałuże z Imperium* mała Tania pokazuje, jak na wiosnę rozmarza ziemia: *Spojrzałem tam, gdzie pokazywała mi ręką, i zobaczyłem rzecz następującą: rozmarznięte, rozciapane błocko zaczyna z ulicy wężykami, strumykami, rowkami, szczelinami spływać wprost do stojących domków. Przyroda jest na Syberii ekstremalna, wszystko jest tu gwałtowne i skrajne, więc jeżeli błoto w Jakucku zalewa domy, to nie jest to żadne kapanie, ciurkanie rozwodnionej szaro-ciemnej mazi, tylko atak rozciapanej lawiny, która nagle i niepowstrzymanie rusza w kierunku ganków i drzwi, zapełnia przejścia i podwórza. Ulice jakby występują z brzegów i wlewają się do domków Założnej.*

W opisie Sealdah Station w Kalkucie (*Podróże z Herodotem*) w języku roi się i przelewa: *Na całej olbrzymiej stacji, na każdym skrawku jej długich peronów, na ślepych torowiskach i okolicznych bagiennych polach siedziały albo leżały w strugach deszczu czy już po prostu w wodzie i błocie – bo była to pora deszczowa i rzęsista tropikalna ulewa nie ustawała na chwilę – dziesiątki tysięcy chudzielców.*

W tej samej książce przy przekraczaniu granicy do Chin (*Sto kwiatów przewodniczącego Mao*) wszystko jest, przeciwnie, oszczędne i surowe, sformalizowane i powściągliwe: *Most był krótki, ze skośną, metalową kratą, pod nim płynęła na wpół wyschnięta rzeka. Dalej stała wysoka brama, cała w kwiatach, jakieś napisy po chińsku i u góry herb –*

*czerwona tarcza, a na niej cztery gwiazdy mniejsze i jedna większa, wszystkie w kolorze złotym. Przy bramie stała duża grupa strażników. Uważnie obejrzeli mój paszport, spisali dane w dużej księdze i powiedzieli, abym poszedł dalej, w kierunku widocznego pociągu, do którego było może pół kilometra. Szedłem w upale, z trudem, spocony, w kłębach much.*

## 2

Ryszard K. jest światowej sławy dziennikarzem, reporterem. Jednocześnie sam zwykł podkreślać, że wielkie reportaże rzadko są dziełem dziennikarzy.

Zapytałem go kiedyś, jak by określił swoje zajęcie. Jeśli dobrze pamiętam, odpowiedział: historyk z wykształcenia, z zamiłowania filozof, poeta, fotograf.

Podkreśla (w *Lapidarium*), że fotografia nauczyła go znaczenia szczegółu. Wzrok (soczewka aparatu) poprzedza jego samego i nas wszystkich. Jednocześnie wzrok łączy w sobie dwie rzeczy: z jednej strony świadome wypatrywanie i poszukiwanie, którymi kierują wyznawane wartości, spojrzenie rozniecające wizje; z drugiej strony fizyczne postrzeganie najściślej spaja naszą osobę z rzeczywistością.

Jego wzrok pada z upodobaniem na niskie, na pozór trywialne obiekty, które on stara się opisać, objaśnić i wyposażyć w znaczenie. Na przykład w dzisiejszej Afryce (*Heban*) – plastikowe kanistry, w których dzieci mogą nosić wodę, i lekka broń palna, dzięki której mogą uczestniczyć w wojnie. Wzrok szuka i znajduje obrazy pełne dramatyzmu, które można zachować jako metaforę albo wyprowadzić z nich szersze rozważania o świecie.

## 3

Czas wyjawić, że porównanie Ryszarda K. do Anteusza jest dalece niedoskonałe. Siła czerpana z ziemi, owszem, tyle że mitologiczny olbrzym był pełen zła i używał jej, aby zabijać każdego, kto się napatoczył. R.K. natomiast podnosi wzrok z ziemi i kieruje go ku Innemu, dostrzega go, patrzy mu w oczy, chce rozmawiać. Następnie przenosi wzrok w stronę horyzontu, stara się zbliżyć do wciąż umykającego widnokręgu. To tu, w tej horyzontalnej perspektywie, łączy się z Herodotem, który będzie mistrzem i towarzyszem podróży. W ten sposób otwiera szczelinę w czasie, poprzez 2500 lat, która przyprawiałaby o zawrót głowy, gdyby nie stanął tuż obok Greka, aby wędrować po jego i swoich własnych śladach.

Gdzie w świecie jest centrum, a gdzie peryferie? Czy Pińsk, miasto dzieciństwa, może funkcjonować jako środek, punkt wyjścia? Miasto ma przecież w zasadzie wodne połączenie z oceanem.

Początkowy rozdział *Imperium* to opis rodzinnego miasta podbitego przez armię radziecką. Kończy się wirowaniem na karuzeli w coraz silniejszym mroźnym wietrze, który porywa Autora w świat: *unoszę się jak pilot, jak ptak, jak obłok.*

## 4

Ryszard K. ruszył w świat, coraz bardziej świadomy tego, że historia tworzy się w tym świecie, który nazwano trzecim. Także w Szwecji Azja, Afryka, Ameryka Łacińska stanowiły temat dla pisarzy (Sven Lindquist, Sara Lidman,

Folke Isaksson i inni), rosło zainteresowanie odległymi kontynentami. Być może stanowi to po części wyjaśnienie tak dobrego przyjęcia książek Ryszarda K. w Szwecji. Odnajdujemy też u niego znajomą „demokratyczną" skłonność: bezpośredniość i pragnienie objaśniania przypominają nieco to, co tutaj nazywa się „oświatą ludową".

Szwedzkie publikacje zaczęły się od *Cesarza* (*Kejsaren*) w roku 1985, dzięki świetnie zorientowanemu Danielowi Hjorthowi, w wydawnictwie Alba. Wydał on także *Szachinszacha* (*Shahernas shah*, 1986) oraz *Jeszcze jeden dzień życia* (*En dag till att leva*, 1987). Wszystkie te książki, ku zmartwieniu Ryszarda K., tłumaczone były jednak z angielskiego (i nie do końca zdawano sobie sprawę, że ich autor jest pisarzem polskim). Potem prawa przejęło wielkie wydawnictwo Bonniers, a ja dostawałem zamówienia na przekłady kolejnych książek już z polskiego: *Imperium* (*Imperiet*, 1993), *Wojny futbolowej* (*Fotbollskriget*, 1998), *Hebanu* (*Ebenholts*, 2000), *Podróży z Herodotem* (*På resa med Herodotos*, 2006).

Bliżej poznałem się z Ryszardem K. na Targach Książki w Göteborgu w 1994 roku, gdzie mieliśmy publicznie rozmawiać po angielsku. W sali komplet publiczności, byłem blady ze zdenerwowania. Omówiliśmy wcześniej wszystkie pytania, zadawałem je po kolei. Ryszard K. odpowiadał na zupełnie inne. Mnie oblewał zimny pot. Później Ryszard K. wyjaśnił mi, że kiedy otwiera usta, zdarza się, że mówi to, co spontanicznie przychodzi mu do głowy. „Jestem jak happening" – dodał. Publiczność w Göteborgu była zachwycona.

Na Targach Książki w 2003 roku Polska była gościem honorowym. Ryszard K. uroczyście je otworzył. Potem występował przed ogromną publicznością, wraz ze mną i pisarką Bodil Malmsten, która nadzwyczaj go ceni. Pozwoliła sobie surowo go upomnieć, że zgadza się na uczestnictwo w targach i innych imprezach, zamiast siedzieć w domu i pisać książki. I wspólnie z całą widownią uczyła go wymawiać słowo *NEJ!* po szwedzku. Podobno próbował go potem używać, ale chyba jednak nie dość często. W marcu 2006 roku zgodził się przyjechać do Sztokholmu z okazji wydania *Podróży z Herodotem* po szwedzku. Dwie wielkie księgarnie, gdzie podpisywał książkę, pękały w szwach (kiedy podpisuje, zawsze patrzy w oczy i przez chwilę rozmawia; to trwa). Podobnie największa sala w *Kulturhuset*, gdzie miejsca były wyprzedane na wiele tygodni wcześniej (tak samo jak w przypadku Czesława Miłosza w roku 2000 i Wisławy Szymborskiej w 2003). Przez trzy dni udzielał dziennikarzom wywiadów do upadłego.


## 5


Podróżować albo pisać, podróżować i pisać – to dla Ryszarda K. dylemat nie do rozwiązania. Zazwyczaj podróżuje sam. My towarzyszymy mu, czytając (i tłumacząc) jego książki.

Jakimś jednak cudem, czy raczej dzięki zdecydowaniu i energii Marii Söderberg, zdarzyło mi się dwukrotnie podróżować z R.K.: przez trzy dni do Pińska w czerwcu 1997 i przez dwa dni do Kiruny w marcu 2006 roku.

Maria Söderberg, która poza wszystkim innym jest fotografem, wbiła sobie do głowy, że zabierze Ryszarda K. i mnie (jako reportera!) do Pińska, jego miasta rodzinnego, kiedyś w Polsce, dziś na Białorusi. Reportaż zatytułowałem

*Patrzcie, patrzcie!*, bo wciąż słyszeliśmy to napomnienie, chodząc po Pińsku, Ryszard K. zawsze o krok przed nami. Dowiedzieliśmy się całkiem sporo o jego dzieciństwie, rodzinie, o przedwojennym Pińsku. W tym niewesołym otoczeniu często wybuchaliśmy śmiechem. (Odkryliśmy także, że Ryszard z zapałem oddaje się zakupom i jest niepoprawnym kolekcjonerem długopisów).

W dalekim Pińsku zastanawialiśmy się, czym jest Europa. Ryszard K. opowiadał, jak kiedyś zabłądził w Norwegii, kraju rozległym i słabo zaludnionym, już myślał, że przepadł. A innym razem leciał z Londynu do Mediolanu i widział nieprzerwany świetlny łuk wiodący przez Europę, *w kształcie banana, odbicie Drogi Mlecznej na ziemi.*

Marii udało się wynająć motorówkę, wsiedliśmy do niej, a Ryszard K. wykrzyknął: *Patrzcie, jaki spokój. Ta rzeka wydaje się stać w miejscu, jakby nie było w niej nurtu. Tutaj nie ma różnicy wzniesień, wszystko jest płaskie. Nic się nie dzieje, popatrzcie na lustro wody.*

Podróż do Kiruny w północnej Szwecji udało się Marii Söderberg zorganizować zaraz po wizycie Ryszarda K. w Sztokholmie w marcu 2006 roku, która wycisnęła z niego wszystkie soki. Kiedyś podsłuchała, że nigdy nie był za kołem podbiegunowym w Skandynawii, a jest ciekaw.

Kiruna to miasto zbudowane wokół wielkiej kopalni rudy żelaza, prosperującej od kilku lat tak dobrze, że miasto tętni życiem, odwiedzane przez ludzi z całego świata. Zaraz po przyjeździe zostaliśmy zapakowani do minibusa (z napisem: *Welcome to the Underworld*) i zawiezieni podziemnymi ulicami (kopalnia to jakby wertykalne miasto) na poziom 650 metrów (najgłębszy: 1800 m), gdzie były górnik Sven-Erik Oja przez trzy godziny oprowadzał nas i opowiadał. Ciekawość Ryszarda K. kazała mu zapomnieć o zmęczeniu.

Kopalnia istnieje od 1905 roku, podobnie jak (skromny) hotel dworcowy, z którego okien oglądaliśmy pociągi załadowane grudkami rudy (11 na dobę, po 54 wagony, po dwie i pół tony); toczyły się ciężko, wyruszały do niezamarzającego portu w norweskim Narviku. O 1.30 w nocy miasto przenika drżenie i daje się słyszeć głuchy łomot: raz na dobę w pustej kopalni strzelają.

Chodzimy zatem po Kirunie, R.K. zawsze o krok do przodu, zarzuca pytaniami każdego, kogo napotka. W niezwykłym kościele (przypominającym ogromny lapoński namiot) natykamy się nieoczekiwanie na czterech pracowników budujących organy. Pochodzą z Barcelony. Mieszkają w tym samym hotelu co my, a Ryszard K. mówi po hiszpańsku. Do Warszawy wraca już z nowymi siłami.

## 6

Kongres tłumaczy literatury polskiej z całego świata (wszyscy mówią po polsku), zorganizowany przez Instytut Książki w Krakowie w 2005 roku, rozpoczyna się pięknym i wnikliwym przemówieniem Ryszarda K. Mówi, że to dzięki pracy tłumacza autor ma szansę dotrzeć do czytelników w świecie, a ci są w stanie odkryć ludzi i miejsca dotychczas niedostępne.

W *Lapidarium III* możemy przeczytać: *Samotność reportera, który jeździ po świecie, do dalekich krajów: pisze o tych, którzy go nie czytają, dla tych, których mało interesują jego bohaterowie.*

*Jest kimś pomiędzy, zawieszony między kulturami ich tłumacz. Jego pytanie i problem: na ile można przeniknąć i poznać inną kulturę, skoro tworzą ją wewnętrzne, utajone kody, których nam, przybyszom z innego świata, nie uda się rozszyfrować i zrozumieć.*

Zadanie, jakie pisarz sobie tu stawia, jest zatem pewnego rodzaju pracą tłumacza. W innym miejscu skarży się, że polszczyzna nie jest w stanie naprawdę oddać tego, co nieznane i obce, tropikalne, obrazów, dźwięków, zapachów Afryki.

Moje zadanie jawi się zatem jako jeszcze dziwniejsze: mam przełożyć na język szwedzki egzotyczny (słowo nieużywane przez autora) świat, który Ryszard K. przełożył na literaturę polską. Istotę tego zadania stanowi dla mnie odpowiedź na pytanie: co takiego dostrzegł jego wzrok, skierowany ku ziemi, w stronę horyzontu, na ludzi, których spotykał? Jak to wygląda?

*przełożył Jan Rost*

fot. Daniel Malak

**Anders Bodegård** urodził się w 1944 r. Mieszka w Sztokholmie. Studiował slawistykę i romanistykę. Uczył szwedzkiego imigrantów przybywających do Szwecji. Był lektorem języka szwedzkiego w Lyonie (1967–1969) – skąd wrócił jako maoista, i w Krakowie (1981–1983) – gdzie przez dwa lata śpiewał w akademickim chórze i pomagał opozycjonistom. Po powrocie do Szwecji został jednym z założycieli pisma o polskiej kulturze, literaturze i polityce „Hotel pod Orłem", a także organizował pomoc dla potrzebujących i prześladowanych.

Od ponad dwudziestu lat uprawia twórczość przekładową: z polskiego i francuskiego. W dorobku ma ponad 60 utworów. Imponuje rozległością zainteresowań: od *Dzienników* Gombrowicza po libretta operowe, od poezji Szymborskiej po reportaże Kapuścińskiego, od *Fedry* Racine'a do *Platformy* Houellebecqa. Wykształcił grono uczniów, którzy kontynuują jego translatorskie dzieło. Sam, obdarzony talentem literackim, rzadko sięga po pióro, choć jego szkice i eseje dawno już powinny być zebrane w książkę. Za propagowanie literatury polskiej został uhonorowany nagrodą polskiego Pen Clubu, Krzyżem Komandorskim Orderu Zasługi RP i Nagrodą Instytutu Książki Transatlantyk.

VERA VERDIANI

# DWIE ALBO TRZY RZECZY,
## KTÓRE O NIM WIEM

Nemo profeta in patria – mówi znana sentencja. Potwierdza się to w naszej sprawie, bo rzeczywiście pisarz w oczach tłumacza przekładającego jego książki wypada inaczej, często oryginalniej, niż w oczach tych, którzy o nim wiele dobrego mówią czy piszą w gazetach. Wprawdzie to, co się o nim mówi i pisze, nie mija się z prawdą i tłumacz nie ma co do tego zastrzeżeń, jednak jemu pisarz odsłania ciekawsze cechy swojej osobowości niż te, które budzą powszechne zainteresowanie. Tak zresztą powinno być, tłumacz zasłużył na jakieś szczególne względy w nagrodę za trud, jaki podejmuje, żeby jak najwierniej oddać w przekładzie sens, styl i aurę myśli zawartych w oryginale.

Pozwolę sobie zatem pominąć pochwały i celne sądy analityczne, które już nieraz wyrażano i nieraz powtarzano, a na które ten znakomity dziennikarz, znawca historii i Polak będący w większej mierze obywatelem świata (trzeciego) niż samej Polski (co jest niemałą zaletą!) bez reszty sobie zasłużył. Odniosę się tylko do człowieka, do osoby, która mnie zaskakuje i zbija z tropu, bo jej prawdziwy obraz często nie pokrywa się z tym, jaki wcześniej powstaje w mojej wyobraźni.

Poznałam Ryszarda w Rzymie, w 1994 roku, z okazji prezentacji włoskiego przekładu *Imperium*. Wyobrażałam sobie, że czeka mnie spotkanie z kimś nastawionym serio, może nawet z kimś nieprzystępnym, a ponieważ w obecności kogoś takiego miałam powiedzieć parę słów właśnie o nim, czułam się dość onieśmielona. Ale kiedy zobaczyłam przed sobą roześmianą twarz, kiedy wyczułam ciepłą życzliwość i usłyszałam wiele miłych słów o moim przekładzie, od razu odzyskałam spokój. (Chwali przekład – myślałam – ale jak sobie z nim poradził, skoro nie zna włoskiego? Później wyszło na jaw, że dał książkę do przeczytania przyjacielowi, któremu ufał, i usłyszał od niego, że przekład wypadł przyzwoicie). Tak więc Ryszard od pierwszej chwili okazał się człowiekiem niezwykle serdecznym, zwyczajnym, komunikatywnym i, jak wszyscy wybitni ludzie, po prostu niezdolnym do przybierania pozy ważnej osoby. Ale to, co najciekawsze, miało dopiero nastąpić. Po oficjalnej prezentacji, po dyskusjach i kolacji Ryszard wziął mnie na stronę, złożył dłonie jak do modlitwy, przechylił głowę na bok i powiedział, że chce mnie prosić o wielką przysługę. „Bardzo panią proszę, bardzo, bardzo, żeby mi pani z łaski swojej pomogła. Na via del Corso zobaczyłem koszulę, która mnie zachwyciła, ale przecież nie potrafię się tam dogadać. Gdyby pani zgodziła się pójść ze mną i pomogła mi ją kupić..." Tak oto pierwszą rzeczą, jaką miałam do zrobienia ze sławnym Ryszardem Kapuścińskim, była przechadzka na via del Corso po piękną sportową koszulę w czarnoniebieską kratkę, którą chyba ma do dziś. Pozwoliło mi to odkryć dwie prawdy: po pierwsze, że Ryszard przywiązuje wagę do ładnych koszul (ma ich chyba całą kolekcję), a po drugie, że ten korespondent wojenny, którego łatwiej mi było wyobrazić sobie jako twardego mężczyznę w pustynnym stroju koloru khaki, z pistoletem w kieszeni, ten ktoś, kto wychodził cało z najgroźniejszych opresji i umiał docierać tam, gdzie nikomu innemu się nie udawało, w rzeczywistości radzi sobie w każdej sytuacji dzięki temu, że jest ujmująco uprzejmy. Że urzeka – inaczej mówiąc. Kiedy Ryszard uśmiecha się, składa ręce i o coś prosi, nie można mu odmówić, zwłaszcza że nie ma w tym śladu niedelikatności, że robi to bardzo naturalnie i że świetnie wyczuwa, kogo ma przed sobą. Przyszło mi do głowy, że z pewnością właśnie tak zdobył dla siebie jedyne miejsce w jedynym samolocie lecącym do Zanzibaru w czasie zamachu stanu. Tak też przekonywał nieprzejednane patrole w Afryce, które go zatrzymywały, przykładały pistolet do głowy i zakazywały jechać dalej. Nawet w skrajnie desperackich sytuacjach właśnie tak zjednywał sobie przychylność i zdobywał kąt do spania, wodę i pożywienie. Bo dar urzekania jest jedną z jego najskuteczniejszych broni. Na równi z siłą charakteru, ale nad tym nie muszę się rozwodzić, bo to spostrzega każdy, kto czyta jego książki.

Kiedy więc młodzi ludzie (a we Włoszech głównie młodzi zaczytują się jego książkami) pytają mnie: „Pani go naprawdę zna? Tego wspaniałego człowieka?", mając oczywiście na myśli jego odwagę i nieprzejednanie, wtedy pojawia mi się w pamięci obraz ujmującego mężczyzny z uśmiechem na twarzy i błagalnie złożonymi dłońmi. Ale nie tylko ten. Słysząc entuzjastyczne słowa na temat „tego wspaniałego mężczyzny", widzę go, jak w mundurze pilota, z fałszywym paszportem w kieszeni, leci w 1990 roku do Górnego Karabachu, żeby porozmawiać z mieszkańcami okręgu ormiańskiego, otoczonego przez oddziały Armii Czerwonej i azerbejdżańskiej milicji. Ma twarz zlaną potem, na głowie hełm lotniczy, natrafia na wojskowe blokady i podczas kontroli udaje kompletnie pijanego, żeby przedostać się dalej. A później spotyka się z Ormianami, wysłuchuje ich opowieści, naraża się na każdym kroku na zdemaskowanie i aresztowanie i wreszcie wraca do Erewanu. Kiedy czytałam o tych perypetiach, zakręciło mi się w głowie. Miałam przecież do czynienia z niepodważalnym świadectwem pasji biorącej górę nad lękiem, a tymczasem, chcąc nie chcąc, widziałam w wyobraźni jak żywą postać Myszki Miki w roli tajnego agenta.

Kapuściński chciałby jak najwięcej się dowiedzieć, a jednocześnie jak najlepiej się bawić, i to często dość niebezpiecznie. Te dwa dążenia wytyczają granice pola, po jakim krąży sławetny niespokojny duch, który wcielił się w pisarza. To on już w latach pięćdziesiątych wyciągnął go zza redakcyjnego biurka, a dzisiaj nie pozwala mu usiąść spokojnie nad kartką papieru i spisywać te niezliczone zdarzenia, jakie przechował w pamięci. Pisarz stał się rzutkim globtroterem i nigdy nie ma go w domu – jak wszystkim wiadomo. Ale dlaczego taki jest?

Po części wynika to z jego usposobienia. Z ciekawością świata i pasją poznawczą człowiek się rodzi. Kapuściński (podobnie jak Herodot, do którego odwołuje się w swojej najnowszej książce) był z pewnością jednym z tych dzieci, które zasypują rodziców pytaniami: „Skąd bierze się ciepło? A skąd zimno? Co słońce robi w nocy? Dlaczego przypływają okręty?". Nikt natomiast nie rodzi się z tym, co ży-

cie dopiero mu przynosi, czyli ze swymi dziecięcymi prze-
życiami. A dzieciństwo Ryszarda upłynęło w czasie wojny,
kiedy rodzice nie mogli mu zapewnić tego, co dziecku jest
potrzebne. Miał zaledwie siedem lat, kiedy zaczęła się niepewność losu, głód, niebezpieczeństwa, ucieczki, strach
i ciągłe przenoszenie się z miejsca na miejsce. To dzieciństwo nie było szczęśliwe, ale hartowało. A przede wszystkim było okresem, w którym ciągle coś się dzieje. Kiedy po takim dzieciństwie osiąga się wiek dojrzały, trudno
przywyknąć do życia osiadłego, bardziej czy mniej szarego, w którym nie dzieje się nic. Jakby nie było życiem.
A wobec tego... rusza się w drogę. Dokądkolwiek, gdzieś
za granicę, a potem za następną i następną, tak że w końcu
wciąż się podróżuje, wciąż ma się do czynienia z czymś nowym, niespodziewanym, ożywiającym, wciąż tkwi się w samym środku zdarzeń. Wymaga to odpowiedzialności, jak-
żeby inaczej, ale ona nie rysuje się tak banalnie i tak nud-
no jak odpowiedzialność w monotonnym życiu urzędnika,
choćby nawet był on pracownikiem agencji prasowej.

Trudne dzieciństwo wpłynęło także na to, że Ryszard
nie przywiązuje wagi do wygód życiowych. Stać go na
najrozmaitsze wyrzeczenia. I tutaj natrafiamy na drugą
(a może pierwszą?) jego cechę: na siłę ducha. Czy ktoś,
kto rozczula się nad sobą, byłby zdolny nie zaprzestać pracy (i to jakiej!), mimo że się poważnie rozchorował w upale sięgającym pięćdziesięciu stopni w cieniu? Czy potrafił-
by spać w pokoju pełnym karaluchów wielkich jak żaby?
Albo czy nie straciłby zimnej krwi, gdy rozpasany patrol
awanturników oblewa go benzyną i z zapalniczką w ręku
grozi podpaleniem? Albo czy wytrzymałby wiele dni o głodzie? Myślę, że tylko niewielu zdobyłoby się na to i że ci

nieliczni mają za sobą właśnie takie dzieciństwo, w którym nie wpada się w rozpacz, gdy z braku witamin dostaje się szkorbutu albo gdy chodzi się boso, bo po prostu nie ma butów.

Ostatecznie jednak życie, jakie Ryszard dla siebie wybrał, wynagrodziło go za lata wyrzeczeń. Dzisiaj podróżuje po to, by zbierać owoce swojej pracy i swego talentu, a nie w roli wysłannika prasowego. Doktoraty *honoris causa*, znaczące nagrody literackie, wykłady na uniwersytetach, wywiady w najważniejszych dziennikach świata. Dochodzi do tego już tak często, że chociaż nie szczędzi mu się pochwał, co pewnie dostarcza mu satysfakcji, to jednak zarazem jest to dla niego uciążliwe. Bo ten uprzejmy i twardy człowiek także ma swoją piętę achillesową: nie znosi życia światowego. Kiedy musi sprostać długim oficjalnym uroczystościom, gaśnie w oczach. Wytrzymuje, jak długo potrafi, ale w pewnej chwili, spocony, znużony, zgnębiony, wymyka się do hotelu, by nabrać głębszego oddechu z dala od ekip telewizyjnych, z których każda domaga się od niego wywiadu wyłącznie dla siebie. I z dala od nieopierzonych dziennikarek, które naiwnie rzucają mu pytania w rodzaju: „jak się je w Afryce?" albo: „co pan myśli o blogu?". Ryszard rozstaje się z tymi paniami bez skrupułów, podrywając się z miejsca i odchodząc, nie rzuciwszy im nawet: „bawcie się same". Ma rację. Do przeprowadzenia wywiadu z nim trzeba być przygotowanym jak do egzaminu. A do przekładania jego książek?

Wielu autorów nie ułatwia życia tłumaczowi, bo zmusza go do żmudnego odtwarzania logicznego ciągu swoich chaotycznie rozsypanych myśli i do wygładzania pokrętnego stylu pełnego zdań podrzędnych. Ryszard przeciwnie, formułuje swoje myśli klarownie i wyraża je w prostych zdaniach. Nad jego książkami nigdy się nie namęczyłam. Natrafiałam co najwyżej na dwie błahe trudności.

Sprawiały mi kłopot nazwy kongijskie, irańskie czy aramejskie, bo niełatwo było znaleźć dla nich włoski odpowiednik. A w dodatku zawsze przy takiej okazji przypominał mi się surowy list pewnej pani, która przez wiele lat mieszkała w Etiopii, a po przeczytaniu *Hebanu* zechciała wytknąć mi moje niedopatrzenia. Przełożyłam słowo *shifta* (banda rozbójników) w rodzaju żeńskim, gdy tymczasem jest to naturalnie słowo rodzaju męskiego i nie podlega deklinacji. Także słowo *gyz* (język nieodwracalnie martwy) przytoczyłam błędnie: powinno brzmieć *gliecz*. „Radzę pani częściej zaglądać do słownika języka aramejskiego – napisała owa pani – bądź zapoznać się bliżej z dziejami kolonialnej Etiopii". Szczerze mnie to zawstydziło.

Druga trudność brała się stąd, że Ryszard nigdy nie podaje źródła cytatów, z których korzysta w swoich książkach. Musiałam przejrzeć dziewięć ksiąg *Dziejów* Herodota niemal słowo po słowie, żeby wyłowić wszystkie cytowane fragmenty rozsypane po *Podróżach z Herodotem*, a nie było to zajęcie pasjonujące. Pocieszałam się tylko tym, że włoski przekład miał się ukazać jako pierwszy na świecie i że wobec tego moim kolegom, tłumaczom na inne języki, oszczędzam pracy. Czy tak było – nie wiem.

A Ryszardowi wybaczyłabym znacznie więcej niż tylko te drobne uchybienia.

I na koniec to, co najważniejsze: czego chcę dziś życzyć temu wiecznemu Uwodzicielowi, niezwykłemu Przyjacielowi i znakomitemu Pisarzowi?

No cóż, życzę mu, żeby pisał nadal. Żeby wyrzekł się choćby jednej podróży i dzięki temu przesiedział parę godzin przy biurku. Może poczułby się trochę mniej zmęczony i trochę bardziej zadowolony. Nie łudzę się jednak, że do tego dojdzie, że wystraszy się zmęczenia i zacznie zmieniać swoje decyzje. Nigdy tak nie było i nie sądzę, by tak się miało stać. W takim razie – co?

W takim razie niech robi, na co ma ochotę i kiedy ma ochotę. Wystarczy – pomyślałam – żeby cieszył się dobrym zdrowiem, żeby był w zgodzie z sobą i żeby cenił moje przekłady (choć w dalszym ciągu nie zna włoskiego). I żeby nie pozbawiał mnie przyjemności szukania, odnajdywania i podkradania długopisów z firmowymi napisami, które kolekcjonuje. Już ich trochę uzbierałam i teraz, z tej urodzinowej okazji, poślę mu je w prezencie. Dołączając serdeczne uściski i jak najlepsze życzenia.

*Florencja, 3 lipca 2006*
*przełożył Stanisław Kasprzysiak*

**Vera Verdiani** zna język polski z domu, dzięki matce Hannie Konwerskiej. Urodziła się w 1935 r. we Florencji, gdzie mieszka.
Po studiach slawistycznych pracowała jako nauczycielka. Od pięćdziesięciu lat tłumaczy literaturę polską. Przełożyła m.in. Brunona Schulza, Witolda Gombrowicza, Sławomira Mrożka, Gustawa

Herlinga-Grudzińskiego, Ryszarda Kapuścińskiego: *Wojnę futbolową* (1990), *Imperium* (1994), *Lapidarium* (1997), *Heban* (2000), *Szachinszacha* (2001), *Cesarza* (2003), *Podróże z Herodotem* (2005), *Autoportret reportera* (2006), *Tego Innego* (2007). Za działalność translatorską otrzymała od paryskiej „Kultury" Nagrodę im. K.A. Jeleńskiego i Nagrodę ZAiKS-u.

BOŻENA DUDKO

## OD KAPUMAFII – DLA KAPU
## POSŁOWIE

Co za biografie! Ile trzeba uporu, hartu ducha, zmagań z historią i codziennością, żeby wytrwać przy swoim tak mało intratnym wyborze, czyli... Polsce. Tego jeszcze nie było: językiem kongresu nie jest – jak to bywa w zwyczaju – angielski; wszędzie słychać piękną polszczyznę!

W maju 2005 roku na trzy dni do Krakowa zjechało stu siedemdziesięciu czterech tłumaczy z pięćdziesięciu krajów. Dzięki Instytutowi Książki po raz pierwszy (mam nadzieję, że będą następne) odbył się Światowy Kongres Tłumaczy Literatury Polskiej. Zdarzyło się coś, co już dawno powinno było się zdarzyć – spotkanie ludzi z Europy, Azji, Australii, Afryki, obu Ameryk, których jednoczy miłość do naszej literatury. Od początku czuło się niezwykłość tego kongresu. Przyjechały zarówno osoby z ogromnym dorobkiem translatorskim, jak i tłumacze stawiający w tym zawodzie pierwsze kroki. Żeby podzielić się doświadczeniem, nawiązać kontakty, przyjrzeć się nowościom wydawniczym. To dzięki ich pasji literatura staje się jednym ze sposobów promocji Polski za granicą. Wreszcie ludzie, którzy na co dzień są „niewidzialnymi samotnikami" (określenie Andersa

Bodegårda), mogli poczuć, że tak naprawdę nie są sami, a ich mozolna praca jest nie tylko potrzebna, ale i doceniana przez Polskę, którą sobie wybrali...

Miałam szczęście być na tym kongresie: uczestniczyć w spotkaniach plenarnych i warsztatowych, a w przerwach poznawać międzynarodowe towarzystwo. Z każdą nowo poznaną osobą nabierałam przekonania, że można by o niej napisać reportaż i byłby to tekst fascynujący. Ale też ogarniało mnie przerażenie, że trzy dni to za krótko. Choć to wyjątkowa okazja, nie zdążę porozmawiać nawet z tymi, z którymi planowałam, więc jak tu odkrywać tych zupełnie nieznanych. Samych tłumaczy Ryszarda Kapuścińskiego przyjechało dwudziestu jeden (w tym dziewięciu autorów tej książki), tak że można było utworzyć seminarium o przekładzie Jego książek...

Jechałam do Krakowa z nadzieją, że poznam przynajmniej tę dwudziestkę. Wracałam zawiedziona – udało mi się nawiązać kontakt tylko z siedmiorgiem.

Niezwykłych zdarzeń w ciągu tych trzech dni było sporo. Najważniejszym okazał się inauguracyjny wykład (otwierający tę książkę), w którym Ryszard Kapuściński złożył hołd swoim tłumaczom. Nie wiem, czy jest wielu pisarzy, którzy tak doceniają ich pracę. I mają świadomość, że jesteśmy „świadkami narodzin nowej roli i nowego miejsca tłumaczki i tłumacza w świecie, w kulturze i literaturze współczesnej".

Obawiam się, że nie ma ich wielu.

„Zadania tłumacza nie ograniczają się dziś do przełożenia tekstu na inny tekst, z jednego języka na drugi – mówił

Kapuściński. – Bo tłumacz to także ktoś jak agent literacki czy wręcz ambasador danego autora, a często i entuzjasta jego twórczości (...). Toteż bardzo opłakiwaliśmy śmierć naszych niedawno zmarłych przyjaciół i tłumaczy z Holandii i z Rosji – Gerarda Rascha i Siergieja Łarina".

Gdy to usłyszałam, poczułam żal, że już nigdy nie poznam Gerarda Rascha (władał siedmioma językami, nie licząc łaciny i greki), który mówił o sobie: „Chcę być holenderskim Dedeciusem". (Jego dorobek to blisko czterdzieści tomów polskiej prozy i poezji, w tym pięć książek Kapuścińskiego. Zmarł 10 marca 2004 roku w wieku pięćdziesięciu siedmiu lat podczas pracy nad przekładem szóstej – *Podróży z Herodotem*).

A od Siergieja Łarina nie dowiem się, dlaczego dotąd nie opublikowano *Imperium* w jego kraju, mimo że w Rosji (podobnie jak w Niemczech) tłumaczy się polskiej literatury najwięcej. Co spowodowało, że edycji książkowej doczekał się tylko *Cesarz* (1992, nakład piętnaście tysięcy egzemplarzy, wydawnictwo Rosyjskiej Akademii Nauk – Główna Redakcja Literatury Wschodu) i *Heban*? (Ukazał się po śmierci Łarina, w 2002 roku, w nakładzie tysiąca egzemplarzy).

To był moment olśnienia – już wiedziałam, że muszę zrobić tę książkę.

Wykład inauguracyjny podarowany tłumaczom (Kapuściński zrezygnował z honorarium autorskiego) został potem opublikowany w kilku zagranicznych pismach, między innymi w Finlandii na pierwszej stronie „Kääntäjä översättaren" („Tłumacz/ka" – po fińsku i szwedzku) i w Serbii (w kwartalniku tłumaczy, który przez cztery lata nie ukazywał się z powodów finansowych). Od razu po powrocie z Krakowa Ljubica Rosić, tłumaczka *Cesarza* i *Szachinsza-cha*, zaproponowała go kilku serbskim gazetom, ale odmówiły, nie chcąc się mieszać w konflikt między rządem a ludźmi kultury (od niedawna artystów wolnych zawodów pozbawiono tam ubezpieczeń społecznych).

„Media nie reagują na sytuację kultury w kraju – napisała Ljubica Rosić, przesyłając Kapuścińskiemu podwójny numer »Mostovi« (»Mosty«, czerwiec-grudzień 2005) – a już rola tłumaczy literackich znalazła się całkiem na marginesie. Dlatego Pana tekst ma dla nas duże znaczenie, akurat w tej chwili gdy walczymy o lepsze miejsce w społeczeństwie".

A ja po powrocie z kongresu zaczęłam kwerendę biblioteczną, serfowanie po Internecie w poszukiwaniu informacji o tłumaczach Kapu (tak Go nazwali kapumaniacy, czyli studenci z warsztatów Szkoły Nowego Dziennikarstwa w kolumbijskiej Cartagenie, gdzie razem z Gabrielem Garcią Márquezem prowadzili warsztaty; tak Go nazywam i ja – kapumaniaczka od ponad dwudziestu lat). Zaproponowałam, żebyśmy 75. urodziny Dziennikarza Wieku, który nie lubi pompy i w ogóle obchodzenia jakichkolwiek rocznic, uczcili w sposób szczególny. Czy mogło to być coś innego niż książka napisana przez ludzi, dla których Kapu jest nie tylko mistrzem i autorytetem, ale przyjacielem i bliskim człowiekiem? Nie jakaś tam księga pamiątkowa ku czci, lecz rzecz oryginalna, która nie tylko dodawałaby do wizerunku Jubilata nowe fakty i obrazy, ale też wiele mówiła o krajach, z których pochodzą autorzy tekstów, o historii Polski i państw Wschodu i Zachodu. Inaczej wygląda życie i praca translatora w dawnych demoludach niż problemy, jakie mają koledzy w USA czy w krajach Unii Europejskiej. Jednak łączy tę trzynastkę jedno – biografię każdego ukształtowała osobowość Kapu i jego dzieła. Są pisarze, którzy potrafią zmienić czyjeś życie – te opowieści są na to najlepszym dowodem. Widać to nawet w formie: Agata Orzeszek z Barcelony napisała *à la Lapidarium*, Błagowesta Lingorska z Sofii żartobliwie nawiązała do „drugiego planu" *Wojny futbolowej*, Mihai Mitu z Bukaresztu opisał swoich osiem podróży z Mistrzem. Tak, podróży, bo przecież czytanie i tłumaczenie Jego książek jest podróżowaniem. Czasem metaforycznym, gdy jak u Klary Główczewskiej przekładanie staje się podróżą kosmiczną. Ale też i dosłownym, o czym opowiada Dušan Provazník, towarzysz wyprawy do Konga ogarniętego wojną domową, czy Anders Bodegård, wspominając wspólny sprzed dziesięciu lat wyjazd do Pińska i ostatni – sprzed roku – za koło podbiegunowe do Kiruny.

Nieustannie przez dziewięć miesięcy pracy nad tym specjalnym projektem wspierali mnie Przyjaciele ze Znaku, wydawcy Ryszarda Kapuścińskiego – bez nich nie byłoby tych *Podróży*... I dwoje jego tłumaczy: Agata Orzeszek i Martin Pollack, którzy nie szczędzili mi cennych rad i wskazówek. Sprawnie działało także internetowe kolegium redakcyjne, do którego należeli jeszcze Vera Verdiani i Anders Bodegård. A dobrym duchem tej książki była pani Alicja Kapuścińska, wtajemniczona w nasz pomysł od początku, zawsze gotowa do pomocy.

Twórczość Kapuścińskiego przekłada ponad pięćdziesięciu tłumaczy. Ale Czytelnik na razie, czego sama naj-

bardziej żałuję, pozna opowieści tylko trzynastu, za co
w tym miejscu przepraszam wszystkich (nie będę ich wy-
mieniać z imienia i nazwiska, bo byłaby to strasznie długa lista), którzy powinni się tu znaleźć, a tak się nie stało z różnych powodów (objętości książki, braku kontaktu, pośpiechu, by zdążyć na 4 marca 2007). Wybór – jak
zawsze w przypadku dzieła zbiorowego – jest subiektywny
i głęboko niesprawiedliwy, a odpowiedzialność za to spa-
da wyłącznie na jego redaktora. Pocieszam się jednak, że
może – jeśli Czytelnikom ta książka się spodoba – *Podró-*
*że z Ryszardem Kapuścińskim* będziemy kontynuować i już
niedługo zabiorę Państwa w podróż po Azji i Ameryce Południowej. Tak bym chciała, żeby ci niewidzialni samotni-
cy, mistrzowie w swoim fachu, stali się bardziej widzialni.

fot. Piotr Janowski

**Bożena Dudko**, rocznik 1963, polonistka.
Pracuje w redakcji literatury faktu wydawnictwa Znak, wcześniej – w latach 1993–2005 w dziale reportażu „Gazety Wyborczej". Przygotowała pięć antologii reportaży: *To nie mój pies, ale moje łóżko* (1998), *Anna z gabinetu bajek* (1999), *Nietykalni* (2000), *Zły dotyk* (2001), *Cała Polska trzaska* (2005). Jest inspiratorką zagranicznych antologii polskiego reportażu, dotąd ukazały się trzy: szwedzka (2003), francuska (2005) i niemiecka (2006).

Społeczny Instytut Wydawniczy Znak,
ul. Kościuszki 37, 30-105 Kraków. Wydanie I, 2007.
Druk: ZPW „POZKAL", ul. Cegielniana 10/12, Inowrocław.